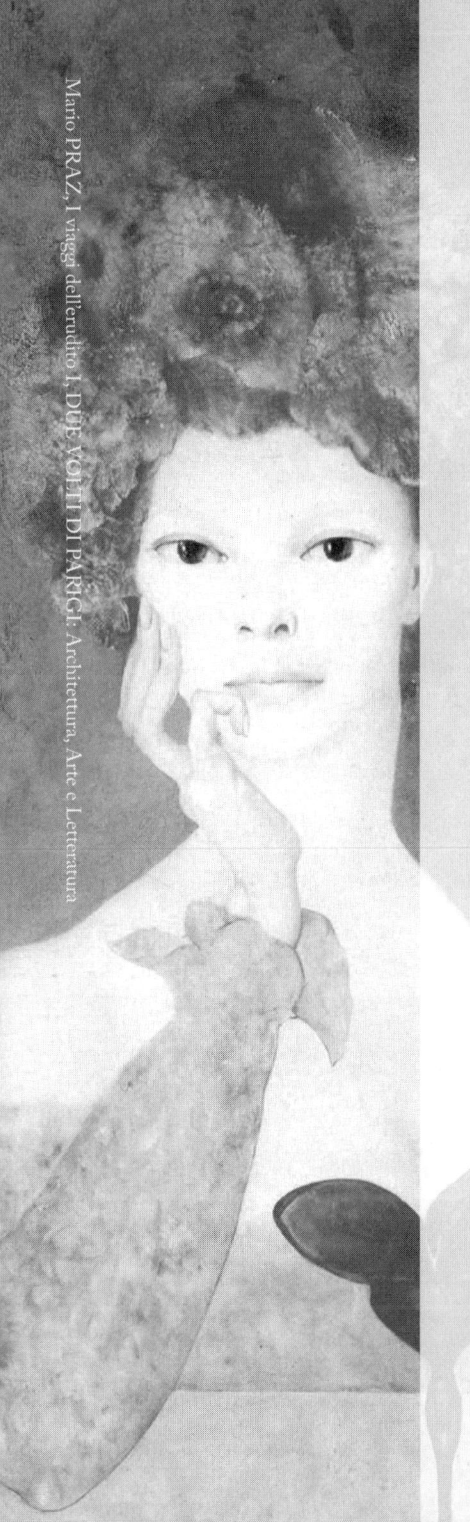

Mario PRAZ, I viaggi dell'erudito I, DUE VOLTI DI PARIGI: Architettura, Arte e Letteratura

碩学の旅Ⅰ

パリの二つの相貌

建築と美術と文学と

マリオ・プラーツ――著
伊藤博明・金山弘昌・新保淳乃――訳
伊藤博明――監修

ありな書房

碩学の旅Ⅰ

パリの二つの相貌——建築と美術と文学と

目　次

Mario PRAZ

I viaggi dell'erudito I
DUE VOLTI DI PARIGI
Architettura, Arte e Letteratura

Transtulerunt Hiroaki ITO
Hiromasa KANAYAMA
Kiyono SHIMBO

Commentavit et Curavit
Hiroaki ITO

Edidit Akira ISHII

Designavit Hikaru NAKAMOTO

碩学の旅Ⅰ

パリの二つの相貌——建築と美術と文学と

プロローグ　旅するマリオ・プラーツ

マリオ・プラーツが生涯で書き残した二千点にも及ぶエッセイ／論考のなかでも、もっとも美しい文章から始まるものは、一九六八年に発表された「バロックの都市プラハ」（『官能の庭――バロックの宇宙』ありな書房刊に所収）であろう。「チェコスロヴァキアのディイェ（ターヤ）川流域の原始林におおわれた湿地には白鹿が棲んでいる。この動物は臆病で人前に姿を見せないので、この場所を訪れる人びとはその存在に想いをめぐらせるだけで満足しなければならない。……しかしこの珍しい動物とめぐりあう幸運に恵まれなくても、この森はもうひとつのかけがえのない経験を秘めている。この森は物質の変容という法則を学ぶことのできる、世界でも四、五箇所しかない場所のひとつなのである。木の葉は落ちるがままで、腐敗し、新たな生命へと変容する」。

プラーツはこのエッセイにおいて、プラハがバロック発祥の地であるローマをも凌ぐバロック的都市であることを、マラー・ストラナ地区に点在するパラッツォの一つひとつを紹介しながら、ストラホフ修道院図書館の天井に描かれた「黄金に輝く天国のヴィジョン」と一種のエンブレム・ブック『ボヘミア＝ヘルシニアのヘリコーン山』の表紙に触れつつ、聖ミクラーシュ聖堂の大円蓋と鐘塔によって創られる光景まで書き綴っている。その華麗な筆致による、しかも詳細な記述は、彼が実際にプラハを丹念に「歩いて、見た」ことをわれわれに推測させる。

プラーツについての一般的なイメージは、一九六五年にセルジオ・デ・フランシスコが描いた、ジュリア通りのパラッツォ・リッチの一室の光景から得られるものであろう。その大きな部屋では、豪華なシャンデリアの下、さまざまなオブジェに囲まれ、立派な書架を背後に、頑丈そうな机を前に執筆しているプラーツの姿が遠く、部屋の片隅に描かれている（前掲書一七六ページに掲載）。彼が生涯にわたって絶えまなくペンを走らせていたことは、その膨大な仕事量から容易に想像できるし、またオブジュへの偏愛は、彼が晩年を過ごしたパラッツォ・プリーモリ（現プラーツ博物館）に残されたもの（パトリツィア・ロザッツァ＝フェッラリス編纂の目録によれば計七八二点）によって証される。

その一方で、プラーツは紛れもない「旅する人」であった。彼は一九二三年にイタリア教育省の奨学金を得てイギリスに留学し、同年末から一九三一年までリヴァプール大学でイタリア語を教えていた。そのあいだに、プラーツの出世作というべき『イギリスにおける一七世紀主義とマリーノ主義』（一九二五年）と彼の代表作と見なされる『ロマン主義文学における肉体と死と悪魔』（一九三〇年、英語版は一九三三年）が刊行されている。そして両書のあいだの一九二八年に刊行されたのが、長文のスペイン旅行記『五角形の島』であり、プラーツ自身による改訂英語版は翌年に『非ロマン的スペイン』と題されて出版された。

プラーツの独特の文体を「プラーツ風（プラッツェスコ）」と命名した、批評家のエドマンド・ウィルソンは、プラーツ生誕記念論集『友情の花輪』に寄せた「ジュリア通りの魔神（ジーニ）」（一九六六年）と題するエッセイにおいて、『一七世紀主義とマリーノ主義』に続く『五角形の島』の重要性をとくに指摘している。彼によれば、この書物において、きわめて特異な文体を用いる作家のもっとも際立った諸特徴がすでに現われている。すなわち「描写の卓越した能力、実際に散文詩である叙情的な間奏、生についてのプルースト的な省察」などである。『五角形の島』にかぎらず、総じて「プラーツ風（プラッツェスコ）」叙述が際立っているのが、「旅する人」の紀行文的エッセイであると言えるであろう。

本シリーズ「碩学の旅」の諸巻は、プラーツの残した数多くの紀行文的エッセイのなかから、地域別に、独自に編纂したものである。第Ⅰ巻には、パリ篇五本とイタリア篇七本のエッセイが収められている。プラーツが長年住んだローマについては、『ローマ百景Ⅰ』および『ローマ百景Ⅱ』（ありな書房刊）を参看していただきたい。（伊藤博明）

第1部　パリの光景

白いパリ

驚くべきことに、古いパリは、常に新しいニューヨーク以上に、わたしに多くを与えてくれた。新しい摩天楼の数々とそれらの複合体は、まるで水晶のように予見可能であり、作図された幾何学のなかに収まっていて、いわば「青写真」、つまり実施の段階に移された設計図のようなものである。ところがパリがまるで蛇のように脱皮し変身するのを観ることは、キプロスの領主となったフランスのリュジニャン家の始祖であると伝えられる、あのメリュジーヌの脱皮のように想像されるのである。パリを、この老いたる魔女を観ることは、それが日々くすんだ色、蜘蛛の巣の色、灰色を脱ぎ捨てるのを観ることであり、そしてそれが皺だらけの蛹のような四世紀間から輝かしい裸身として抜けだすのを観ることは、おそらくはコールリッジの『クリスタベル』において次のように叫ばせたほどの大げさな見物ではなかろうか。「それは夢見るべき眺めにして、語るべき眺めにはあらざるや」。

ランプの下で身を屈め、ゆっくりと
ジェラルディンは辺りを見回した。
そして息を強く吸い込んだ、
まるで身を震わせるかのように。そしてスカートの帯を胸の下で解いた。
絹のスカートとコルセットは
足元に落ち、すべてをあらわにした。
見よ、見よ、彼女の胸を、そして脇腹を……
嗚呼、これぞ夢の眺め、決して口にしてはならぬ。

わたしはかつて訳したこのコールリッジの未完の詩の一節を思い起こした。なぜならパリの変身はまさにこれと同じだからである。

しばしば、セイレーンは古びた喪服を脱ぎさるまさにその過程において正体を把握される。パリのパレ・ロワイヤル（図1）のメリュジーヌは、片腕を完全に露わにし、さらにペロプスの象牙製の肩のように白く輝く肩をむきだしにした。ルーヴル宮殿のファサード（図2）のメリュジーヌは、その脇腹と、フォンテーヌブロー派のディアナの四肢のように長い腿を見せつけている。しかしフランス学士院（図3）のメリュジーヌは、もはやほとんど無垢の姿をとりもどしており、まるでわずかに琥珀色を帯びた完璧なアーモンドのようである。一方学士院と造幣局のあいだにある一八世紀の家屋群は、いくつかはすでにクリーム色であり、ボワイーが描いたパリの景観の当時の色合いをとりもどしており、その他はいまだに、煤だらけの暖炉の奥に似たくすんだ色のままである。

斑模様の空に浮かぶ明るい雲と暗い雲、地上の明るい家屋と暗い家屋、明るい花と暗い花、それらはミラノの二つの街区のように対照的である。そのコントラストは好ましいものとなりえているのかもしれない。一八世紀のドイツにおいて、カロの版画に着想した物乞いやロマ族、あるいは神話や聖書の人物を表わした、象牙の上に暗色の木材で衣を着せたジーモン・トロガーの小彫像（図4）が好まれたのと同様に。しかし両者の比較は、あきらかに、修復された方のファサードに、つまり光の方に栄冠を授ける。つまり次のように言えるであろう。片や鋼板に刻まれたエッ

図1———パレ・ロワイヤル　パリ
図2———ルーヴル宮殿　東翼ファサード　パリ

図3———フランス学士院（コレージュ・ド・カトル・ナシヨン）　パリ

図4——ジーモン・トロガー《物乞い》一七五〇年
ベルリン　ドイツ歴史博物館

チング、片や琥珀色の石や象牙の彫刻、そのどちらかを選べ、というわけである。暗色が建物の立体感を平板にしてしまい、細部を判断することを邪魔するのに対して、明るい色においては、建物本来の凹凸が、本来の高貴さがすべて明らかとなるのである。それはあたかも、正体を隠すために煤で汚したあとで、それを拭いさった美女の顔のようである。

かくして、パリのいくつかの街角は、われわれがいままでこの都市に見いださなかった高貴さというものを、そして奇跡的に平和と静寂をゆきわたらせるように思われる清浄さというものを獲得する。学士院はドイツのいくつかの宮殿（図5）を、同地の小都市の領主の館を想起させる。ルーヴルの中庭はオックスフォード大学の中庭を思わせるし、マドレーヌ寺院（図6）はいまやギリシア神殿の新たな妹となり、もはやリヴァプールのセント・ジョージズ・ホール（図7）の姉ではなくなった。ヴァンドーム広場（図8）では、暗色の記念柱がクリーム色のシンメトリックなファサー

図5――ヴュルツブルクの司教館
　　庭園側ファサード　ヴュルツブルク
図6――マドレーヌ寺院
　　（サント・マリー・マドレーヌ聖堂）パリ
図7――セント・ジョージズ・ホール　リヴァプール

図8——ヴァンドーム広場　パリ
図9——ラスパイユ通り　パリ
図10——オペラ座　パリ
図11——パリ市庁舎

ドと対照をなしており、ファサードの上では鍍金された錬鉄製の手摺が目立っている。ラスパイユ通り（図9）では、一九世紀の巨大な建築群や、第二帝政期の疑似ルネサンス様式の建物群が特権を獲得している。たとえば多色の大理石で飾られ、金色の象徴をあしらった緑青色の小ドームを戴くオペラ座（図10）が特別な地位を獲得しているように。ただパリ市庁舎（図11）だけが、その黒い皮を脱ぎ捨てて、一九世紀の「寄せ集め（パスティーシュ）」建築の修正しがたい俗悪さを露わにしている。

いま、われわれが目のあたりにするこのパリは、この町がとても美しい大都市としての名声を獲得した時代と同様のパリである。ルノワールの小品、《ポンデザール》という一八六八年頃に描かれた作品（図12）がある。わたしはこれをニューヨークのメトロポリタン美術館で個人蔵の作品の展示で目にしたのだが、そこには今日の修復後の姿同様に明るい色の学士院の建物が描かれている。パリがその時代に得た名声は、そののちずっと、炭や軽油の煤煙、そして異常気象がこの都市を褐色に染めても続いている。わたしは自問する。もし当時すでに褐色であったなら、パリははたして満場一致の賞賛を受けたであろうか、と。しかし世間の評判というものは、一度つくりだされると、継続するものなのである。

かくしてルーヴル美術館では、傑作としてダヴィドやグロ、ジェリコー、そしてクールベのいくつかの作品を、絵の現在の状態においては「価値のない絵」としか評価しようがないはずの作品を賞賛し続けている。たとえば有名な《メデューズ号の筏》（図13）をご覧いただきたい。作品を損ねている豆スープ色の厚いニスの遮蔽幕の背後に、当時賞賛された傑作が隠れていることは、わたしもよく知っている。だがいまとなっては、率直なところ、はたしてその黄褐色は悦びを与えてくれるであろうか。おそらくいつの日か、フランス人は彼らの偉大な画家たちの作品も洗浄する決断をするであろう。先日シャルル・ル・ブランの作品群を洗浄し、ヴェルサイユでの展覧会でお披露目したのと同様に。ル・ブランがアレクサンドロス大王の事績を描いた大きな作品群（図14）は、かつてはヴァザーリがフィレンツェのパラッツォ・ヴェッキオに描いた巨大で無味乾燥な戦争画以上の評価を受けることはなかったであろうが、

図12――オーギュスト・ルノワール
《ポンデザール》一八六七年～六八年
ロサンゼルス　ノートン・サイモン美術館

図13――テオドール・ジェリコー
《メデューズ号の筏》一八一八年～一九年
パリ　ルーヴル美術館

図14――シャルル・ル・ブラン《アルベラの戦い》一六六九年以前　パリ　ルーヴル美術館

図15――シャルル・ル・ブラン《十字架降下》一六七九年頃　レンヌ　美術館

ピエトロ・ダ・コルトーナ
図16——《聖母子と諸聖人》一六二六年〜二八年
コルトーナ　アカデミア・エトルスカ博物館

いまや活き活きとした色彩の調和を奏でている。その色彩の調和は、ローマ絵画とプッサンによる基盤と、そこに接ぎ木されたフランドル絵画との幸福な関係を表わしているのである。このフランスの画家ル・ブランは、祭壇画における主題の扱いにおいては、しばしばピエトロ・ダ・コルトーナの祭壇画と同程度に仰々しいのだが（図15・図16）、コルトーナ同様、ル・ブランもまた壮大なバロックの息吹をもちあわせていることを示している。

「壮大な」という言葉について考えてみれば、アメリカではこの形容詞がわたしの口に浮かぶことはない。「大きな」、「莫大な」、「巨大な」。これらの形容詞はニューヨークの多くの特徴にふさわしい。これらの形容詞はすべて量にかかわっている。しかし「壮大な」は計量可能なものではなく、質にかかわる。夕暮れの空を背景にした凱旋門（図17）とシャンゼリゼ通り（図18）は、街灯の灯るとき、壮大である。五番街（図19）は、ワシントン・スクエア公園の方角を向いて佇むならば、巨大である。もっともその印象は、公園の彼方に、とても小さなもうひとつの凱旋門（図20）があるのに気づくまでのことではあるが。その凱旋門はまさに「竜頭蛇尾」であり、子供の玩具のようで、グロ・ボワの城館の広間にある、とても丈の高い暖炉の脇に置かれた人形用の帝政（アンピール）様式の小さな寝台を思わせる。ニューヨークに残る数少ない古い建物（図21）は、まさしく玩具であり、アメリカ人たちは彼らの国の幼年時代からそれらを保存してきたのである。ヴェルサイユの庭園（図22）は、比類のない壮大さを特徴としており、大運河、数々の噴水、前に並ぶ彫像群を白々と浮かびあがらせる垣根の書割を備えたこの庭園は、全長三キロにも達するのである。ニューヨークのセントラル・パーク（図23）は全長四キロであるが、大きいだけで、その他（た）の点ではありきたりの公園である。パリの街路はニューヨークのそれらと比べてはるかに小さい。しかしパリの街路は、奥行きをもっている。その奥行きは、規模によるものではなく、さまざまな印象の共振と重層化によってもたらされている。そしてその印象は、たしかに、文化的なものなのである。そうでなければ、この事実には説明がつかない。それゆえに、批評家で愛書家のゴードン・N・レイが住むマンションの一室からのイースト川の眺めは、わたしを冷ややかな醒めた状態にとどめるのである。その眺めが、ディケンズが訪れた監獄のある島全体を見渡すことができ、幅広の青々とした大河と青白

図17――凱旋門　パリ
図18――シャンゼリゼ大通り　パリ
凱旋門からルーヴル方面を望む
図19――五番街　ニューヨーク
図20――凱旋門　ニューヨーク

図21――モリス・ジュメル・マンション　ニューヨーク
図22――ヴェルサイユの庭園　ヴェルサイユ
図23――セントラル・パーク　ニューヨーク

い海月のような月の浮かぶ紺碧の空をともなう、まさに美しい眺望であるのにもかかわらず。そしてそれゆえに、オルフェーヴル河岸（図24）からの見事な眺めを見つめるために立ち止まるとき、わたしは胸の高鳴りを感じるのである。

ニューヨークのいくつかの面に対して認めることができるのは、せいぜいのところ、ファッションモデルのような美しさであろう。ファッションモデルは、まるで水滴のように、みな、お互いに似ている。パリのいくつかの街路の美しさは、ある画家の傑作を思い起こさせるような類いの、女性の美しさである。ドラクロワの聖なる記憶とともにフェルスタンベール広場（図25）に足をとめることと、広場中央の一九世紀の街灯に影を投げかける四本の楸（きささげ）の樹を見上げることとは、ヘンリー・ジェイムズについてのあらゆる連想をめぐらしつつワシントン・スクエア公園を通り抜けることよりも、悦ばしいのである。

しかしわたしはいまなんと言ったであろう、「悦ばしい」と言ったであろうか。悦びはもはや流行ではない。ライオネル・トリリングは、一九六三年夏の『パルチザン・レビュー』誌に掲載された見事な論文（「悦びの宿命——ワーズワースからドストエフスキーまで」）のなかで、芸術作品が悦びを与えるべきであるという古くからの理念が新たな美学によっていかにして放逐されたのかを示している。その新たな美学は、悦びの放棄にもとづいており、その最初の一人が、『地下室の手記』におけるドストエフスキーであったのである。「近代文学のエネルギー、意識、そして機知は、世界がもたらしうる、あるいはわれわれの文化がもたらしうる、すべての哀れな『悦び』がもたらすうわべだけの利点に対する、近代文学の闘争に由来している」。

トリリングは、近代的な態度のパラダイムは罪のなかにある、と述べている。その罪は聖アウグスティヌスが語るそれであり、少年時代の彼が梨を盗んだときのような、いかなる明白な理由ももたない罪なのである。その罪の行為はあきらかに悦びの観点からなされたものではなく、むしろ「純粋な行為」によって悦びへの隷従から自らを解放するためになされたのである。周囲の世界から、うわべだけの利益に敬意を捧げるよう唆されながら、地下室の人間は、次のように断言して抗う。「ぼくはぼくの内にこそ、おまえたちが持ちえぬほどの生命力を持っている」のである。

図24——ポンヌフとセーヌ河越しに望むオルフェーヴル河岸　パリ

図25——フェルスタンベール広場　パリ

図26——セザール《黄色いビュイック》一九六一年
ニューヨーク　近代美術館

そして芸術の分野において、この心理的なエネルギーは、悦びの放棄と結びつき、また自己の表出へと導き、セザールの《黄色いビュイック》（ニューヨーク近代美術館［図26］）のような彫刻を呈示することによって、その生命力をあきらかにしている。

同様に荒々しい立方体に圧縮された自動車による作品のひとつは、映画『世界残酷物語』のエピソードとして読者諸氏にもお馴染みであろう。美術館の解説パネルは次のように告げる。「死んだ自動車だけを素材とする美術作品を創りあげた最初の人間は、まさにふさわしくもアメリカ人、ジョン・チェンバレンであった」。この「まさにふさわしくも」という言葉以上に、アメリカとそれが代表する文明について正しい形容はありえないであろう。

（一九六三年［金山弘昌］）

パリの二つの相貌

パルリーの新たな複合施設群のなかで、半円状に立ち並んだ集合住宅群を指し示しながら、K公妃は、「あそこに見えるのがわたくしたちのアパルトマンですの」と言った。建物の長く伸びた外観において、各区画はすべての点で互いにそっくりで、見分けることがむずかしい（図1）。「わたくしたちのアパルトマンは、すでに窓ガラスがとりつけられている部分ですわ」。われわれはコンクリートの単調さのなかに空しくもガラスの燦めきを探した。ヴェルサイユ庭園に向かいあって、この優雅な集合住宅群は、アメリカかオーストラリアの大学の寄宿舎群を想起させる。中央には巨大なレストランが聳え、シャーロッツビルのモーテル群のなかにレストランがあるのと同様である。住民のためにいかなる心配も生じないようにされているのである。管理も、居室の掃除も、食事やそのほかも、みな共用なのである。たいへんに快適である。家事の煩いを免れて、ヴェルサイユ庭園内で乗馬を楽しむことができる。食事の時間には巨大な円形劇場のようなレストランに入り、ルノワール風の祝祭の雰囲気を醸しだす黄色とオレンジ色の照明の下、数多くのテーブルのひとつに席を占める。「ピエモンテ風」と呼ばれる男根形のアイスクリームを前にして、みなの顔に恍惚感が浮かぶ。

パルリーの近くにはヴェルサイユがあり、そこには修復を終えたばかりのマホガニー材とブロンズによる第一帝政（アンピール）様式の輝かしいグラン・トリアノン（図2）がある。これらは――モーリス・バレスがシエナについて述べた言葉を

図１――パルリー２の集合住宅
図２――大トリアノンの帝政様式の室内

用いるなら――「美しき対照性」をなす。それは、はたして美しいかどうかわたしにはわからないが、今日のパリのもつ対照性なのである。すでに少しまえで触れたように、革命後に修復された王族たちの横臥墓像（ジザン）が無数に並ぶサン・ドニ大聖堂の前に、レーニンの巨大なイメージがある。レーニン像は赤旗に囲まれて公共建築のファサード全体を覆っており、その延ばした巨大な腕が指す方向へミサイルが飛んでいる。それは広告ポスターであり、人の意識にほかの消費財を刻みつける広告の類と似たものなのである。パルリーという、理想的共同体（ファランステール）のあちこちで、ドラッグストア「ドラッグ・ウェスト」の名を目にする。どうやら麻薬（ドラッグ）は、現代の多くの事象にかかわりをもっているようである。

たとえば、わたしがフォーブル・サントノレ通りのノードラー商会の画廊で開かれた六人のアメリカ人画家たちの展覧会を評価するには、一体どのような麻薬が足りないのであろうか。フランツ・クラインの黒い渋面（図3）、ロスコのモノクロームのあくび（図4）、ポロックのさまざまな色彩で描かれた雑踏（図5）、一体どのような麻薬が批評家や観衆にそれらの作品を賞賛させるのであろうか。さらにそれは一体どのような観衆に対してなのであろうか。パリの通りで出会う人びとはごく普通の人たちであるように見受けられるが、マッシュルーム型の長髪の人は稀であり、彼らにいわせれば流行遅れなのだそうである。

しかし、抽象主義はこれほど簡単に流行遅れになることはない。ムードン・ベルヴューに住む抽象主義の作家アルベルト・マニェッリ（図6）との再会は、はるか昔、フィレンツェのカフェ・ジュッベ・ロッセでともに過ごした時代以来であり、わたしにとっても喜ばしかったが、そのマニェッリも八〇歳となり、老年の常として、しばしば人びとの名前を失念する。「あのフェッラーラの画家……なんという名前だっけ……そうだ、デ・ピシスだよ……」。デ・ピシスは、気の毒なことに、すでに生涯を終えてしまった。そしてデ・ピシスの絵画（図7）は、贋作がつくられるほどに名声を獲得し、一方マニェッリは、若いころから抽象（アストラット）画家であったが、老いて超然（アストラット）となってしまったのである。もはや抽象主義は尊敬されるべきものであり、黄金時代を迎えており、それはたとえばエリー・ド・ロチルド（ロスチャイルド）男爵の邸宅を飾る輝かしい骨董品の数々が救われるのとほとんど同様なのである。

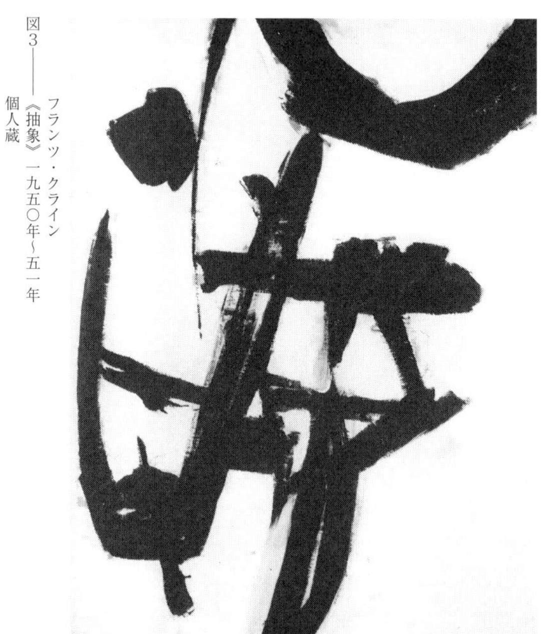

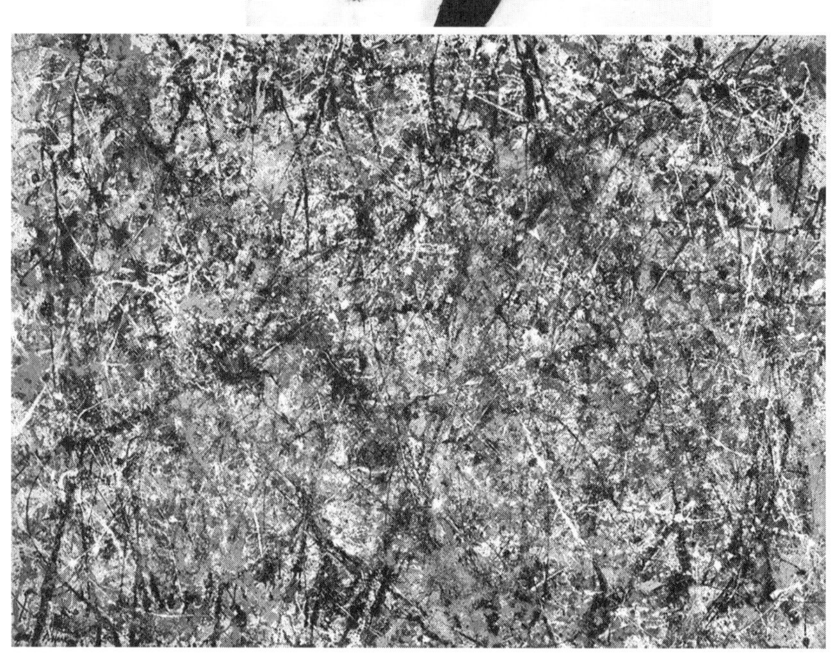

図3——フランツ・クライン
《抽象》一九五〇年～五一年
個人蔵

図5——ジャクソン・ポロック
《No. 1（ラベンダー色の霧）》一九五〇年
ワシントン　ナショナル・ギャラリー

図4——マーク・ロスコ
《黒の上の明るい赤》一九五七年
ロンドン　テート・モダン

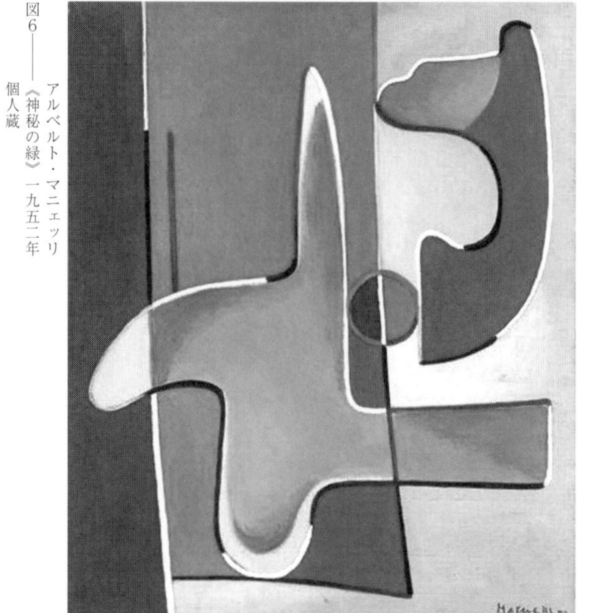

図6——アルベルト・マニェッリ
《神秘の緑》一九五二年
個人蔵

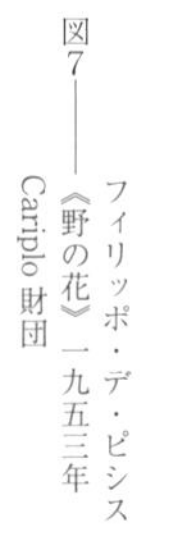

図7——フィリッポ・デ・ピシス
《野の花》一九五三年
Cariplo 財団

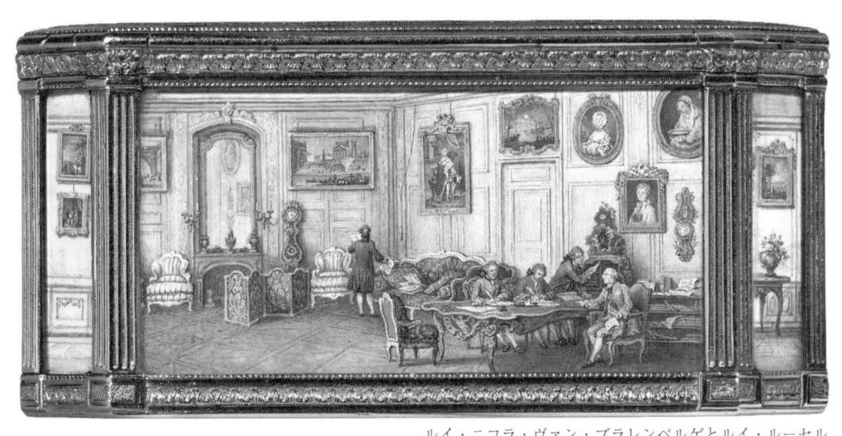

ルイ・ニコラ・ヴァン・ブラレンベルゲとルイ・ルーセル
図8――《ショワズール公爵の嗅ぎ煙草入れ》一七七〇年～七一年
パリ　ルーヴル美術館

わたしがむしろロチルド男爵の蒐集品の方を好んでいると付言するのは無用であろう。ロスコやポロックの作品には何百万というとても高額な値段がついている。もしわたしがそのような財産をもっていたとしても、むしろ骨董品の購入の方に用いたい。アイベックスを象った把手がついたアケメネス朝ペルシアの銀製の壺や、コンスタンティヌス朝ローマの大きな紅縞瑪瑙（サードニクス）製カメオを金線細工（フィリグラーナ）をほどこしたビザンティン時代の台座にはめこんだもの、あるいはまたヘンリー八世の欽定訳聖書にベンヴェヌート・チェッリーニが名工の細工を施した貴重な装幀本、サラマンカの石榴石（ガーネット）や象を象った宝飾品、リシュリュー通りにあったショワズール公爵の邸宅の様子をグアッシュで描きこんだ同公爵の嗅ぎ煙草入れ（図8）、そしてあの貴重なルネサンス時代の匙、つまり把手の端に小さな曲芸師の姿が表わされている、あの匙などの購入に、である。

ダグラス・クーパーは、ロスチャイルド家の蒐集について次のように述べている。「ロスチャイルド家の人びとは、人間の手によって生みだされたうちでもっとも洗練され、もっとも壮麗な美術作品にとりまかれることを、生理的に必要としながら育ったように思われる」。そしてこの美術史家はさらに次のように続ける。「この際立った一族に属するさまざまな人びとによって、破壊から救いだされ蓄積された至宝の数々をひとつの目録にまとめることが可能だとすれば、世界はそのあまりに多くの富を前にして唖然とするであろう」。

未来派は美術館や博物館を破壊することを望んだし、毛沢東の中国は古代美術の宝を破壊した。さまざまな方面で、さまざまな意図にもとづいて、過去の遺産を破壊しようと企む者たちがいる。サド侯爵は、『ジュスティーヌあるいは美徳の不幸』のなかで次のように述べている。「自然は、その目的に向かって長い歩みを続けてきた。そして日々、自らを研究する者たちに対し、己が産むものではなく破壊するものであることを示してきた。また破壊こそが自然のさまざまな法則の第一のものであり、なぜならば破壊なくしていかなる生産もありえないから、ということを示してきた。破壊は繁殖よりもはるかに自然を悦ばせる。ゆえに繁殖のことを、ギリシアの哲学者たちの一派は、道理をもって、殺害の結果と呼んでいた」。

この観点に従うなら、ロスチャイルド家は自然に反することになる。しかしすべての文明の歴史は、おそらく、自然の流れに対して逆らう流れにほかならないのではないであろうか。人間の歴史は、原初の混沌（カオス）を超克し、生きることのできる社会を産みだそうとする、不断の努力の記録にほかならないのではないであろうか。われわれは原始美術へと回帰しようとするのと同様、すべての芸術が風俗風習の表現にほかならなかった時代の、原始の民の風俗風習へと回帰しようというのであろうか。ロスコ、クライン、デ・クーニングからマッシュルームカットや「イェイェ」のコンサートへ、そしてポップ・アートやオプ・アートへという、混沌（カオス）へとまっしぐらのこの疾駆（ギャロップ）は、あるいは一時の勝利をおさめることさえあるかもしれない。そして、M・P・シールのSF小説『紫の雲』の主人公のように、われわれは喜んで町に火を放つかもしれない。そう、喜んで。しかし一体この混沌（カオス）への疾駆をわれわれがどれだけ望んでいるというのであろうか。つまるところ、大して望んでなどいないのである。しかし大多数の人々は勇気をもたず、いわゆる前衛（アヴァンギャルド）に引きずられるがまま、走らされ、同意してしまっているのである。それは昔からくりかえされてきた、すべての革命と同じ話にすぎない。

マスラン通りのロチルド邸（図9）のような場所、スペイン王カルロス四世の駐英国大使であったマッセラーノ公のため、ブロンニャールによって一七八七年から八八年に建てられたこの邸宅のような場所は、単に過去の至宝を活かしたまま人為的に保存する保管庫というだけではない。男爵夫人リリアーヌは消えゆく炎を守る青ざめたヴェスタの巫女などではなく、この蒐集を一層豊かにすることに大いに貢献しているのである。よく見てみれば、幾世紀にもわたる、美術家、彫金家、家具製作者、タピスリー職人たちがつくりだした品々の精髄をもって飾られたこの邸宅においてこそ、パルリーの無個性な建築や六人のアメリカ人画家たちの顔のない絵画、絵の具の斑点やなぐり描き、旗や謝肉祭の紙玉（コリアンドロ）の袋が入り混じる絵画においてよりも、生命が、はるかに生命が感じられるのである。

デュ・バリー夫人を描いたヴィジェ＝ルブランの一枚の肖像画（図10）、一七八九年九月に描きはじめられ、革命の勃発により制作が中断し、像主の悲劇的な最期のはるかのちに完成されたこの絵は、膝の上に垂らした手に百合と薔薇の花束をもち、物憂げなポーズで佇む、いにしえの王の寵姫の姿を表わしている。地平線上に暮れなずむ薔薇色の空は、王権の黄昏を描いたのだといわんばかりに、この女性画家によって意図的に背景に選ばれている。そしてこの黄昏の印象は、おそらくまた、大衆と消費の文明とは非常に異なる時代とその趣味を証立てるこの邸宅を訪れたことにも起因しているのであろう。それは存続するにはもはやあまりにも洗練されすぎた文化的雰囲気の黄昏ではなく、ただ単に、質の高い文明の黄昏なのである。

この点について、少しあとにたいへん異なる別の邸宅を訪れたさい、わたしはあからさまな分断を感じなかった。それはド・ラ・ヴリリエール通りにある、レオノール・フィニとスタニズラオ・レプリの邸宅である（図11）。邸宅の窓の多くは中庭のひとつに面しており、くすんだ白色のファサードと、灰色の鎧戸やスレート葺きの屋根によって、古のパリの魅惑を伝えている。邸宅の主である二人の画家たちの芸術は、過去との関係を断ち切っていない。そしておそらくはそれが原因で、抽象主義に仕える批評家たちは、彼らの作品に対して完全な公正さをもって臨んでこなかったのであろう。

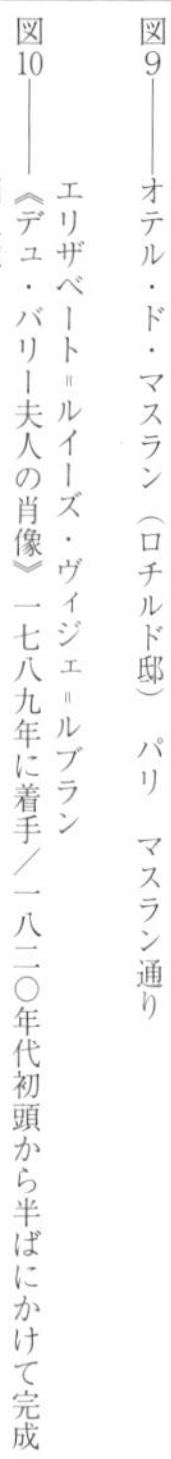

図9——オテル・ド・マスラン（ロチルド邸）　パリ　マスラン通り

図10——エリザベート＝ルイーズ・ヴィジェ＝ルブラン
《デュ・バリー夫人の肖像》一七八九年に着手／一八二〇年代初頭から半ばにかけて完成
個人像

図11———パリのラ・ヴリリエール通りのレオノール・フィニ邸　アトリエのフィニ
レオノール・フィニ
図12———ボードレール『悪の華』（一九六四年）のための挿絵
リトグラフ

図13――グスタフ・クリムト《死と生》一九一〇年　ウィーン　レオポルト美術館
図14――ヤン・トーロップ《三人の花嫁》一八九三年　オッテルロー　クレラー・ミュラー美術館
図15――ヨハン・トルン・プリッカー《花嫁》一八九二年～九三年　オッテルロー　クレラー・ミュラー美術館

図16———レオノール・フィニ
《泉の守護者》一九六七年
シルクスクリーン

図17———パリのラ・ヴリリエール通りにあったレオノール・フィニの邸宅のサロンの再現
イスダン　サン・ロック美術館

しかしながら、単に多くの書物の比類ない挿絵画家（彼女による『悪の華』の挿絵［図12］は、わたしが知るかぎりもっとも霊妙である）としてだけではなく、レオノールは賞賛されるべきである。彼女の最近の手法は、アール・ヌーヴォーから多くの示唆を受けているが、この様式の本質を純化凝縮できており、クリムト（図13）やトーロップ（図14）、そしてトルン・プリッカー（図15）の伝統を継いで完璧な表現をなしとげている。レオノールの最近の作品、《泉の守護者》（図16）が手許にあるが、さまざまな色彩で画中に描かれた見事な杯によって、フョードル・ソログープの有名な詩句を思い起こさせる。「そしてふたつのガラスの大きな杯を、精妙な音を響かせるそれらのふたつの杯を、君は輝く水盤の下に置き、その甘美なる泡を注ぎ入れた。注ぎ、注いでさらに注いで、君はふたつの肉色のガラス杯を揺り動かした。それは百合よりも白く、紅玉よりも赤く、君は白く真っ赤になった」。

レオノールは、彼女の居室に、アール・ヌーヴォー様式の驚くべき品々を蒐集している（図17）。たとえば壁にとりつけられた、ジャン・ダンプトの手になる菖蒲（あやめ）の形の二つの照明器具や、蛇のように曲がりくねる蔓と睡蓮の花の形の受け皿からなる錬鉄製の燭台、蜻蛉の頭をもつ怪物が三本の脚となっている小卓、そしてそれらのオブジェに調和するタピスリーや、白い睡蓮とサフラン色の赤熊百合（クニフォフィア）の茎をモティーフとした薄緑の絨毯（モケット）、白い菖蒲（あやめ）をちりばめた淡青色の長椅子（シェーズ・ロング）。このようなアール・ヌーヴォー様式のモティーフの賢い選択によって、レオノールは、ひとつの様式を蘇らせている。それはいうなれば、ペトラルカが『老年書簡集』で述べた自明の理、すなわち、詩とは経験され体験された事柄の記憶にほかならないという公理を、彼女が自らのものにしているということである。これは今日あまりにもしばしば忘れられている真理である。

（一九六七年［金山弘昌］）

一九世紀の傑作としてのパリ

過去から遠く離れるにつれて、地上最大のスペクタクルのひとつとしてのパリの相貌がくっきりと像を結ぶようになり、一枚の絵画として表わされたその姿は、賢明な都市計画法にしたがい、手つかずのまま保存されることが約束された。二度の大戦が起きた世紀も半ばを過ぎた。一九五〇年のパリは、一九世紀を通してもっとも表情豊かな都市として私たちの前に姿を現わす。その表情には、いまや、もっとも輝かしい過去と思われるものを見つめ、感じ、生きる術のすべてがある。「輝ける都市」――ただし、この光はバレエ作品『エクセルシオール』の光である（図1）。見渡すかぎり街灯が列をなすリヴォリ通りのように（図2）、それはこの大都市にとってもっとも成功した情景であり、エッフェル塔のように、かつて若き産業文明であったものの輝かしいトロフィーである。メトロの駅の出入口はリバティ様式がいたるところに浸透した証となり、三本の獅子脚に支えられた柱から下がる街灯は、帝政期の絵画の額縁や室内を飾っていた優雅な曲線を描くネオグレコ様式の世俗の都市的表現となる（図3）。

イタリアの大都市が呼びおこすのは一六、一七世紀の輝かしい時代である。ローマではゲーテの時代と同じく古代世界が語りかけてくる。ところがパリという、マンサール屋根の住宅ブロックと、万国博覧会にふさわしく、聖堂、劇場、クーポラ、凱旋門――ラ・マドレーヌ聖堂、オペラ座、廃兵院（アンヴァリッド）、エトワール広場――に焦点をあてた透視画のような眺望とで構成された灰色の都市は、一歩進むごとに一八〇〇年代のブルジョワジーと軍隊の栄光を語りはじ

EXCELSIOR
RF

図1——バレエ『エクセルシオール』
戯曲・振付ルイジ・マンゾッティ、作曲ロムアルド・マレンコ
一八八一年　スカラ座初演時のポスター

図2——リヴォリ通りとチュイルリー庭園　一九〇〇年頃　絵葉書

図3——パリ六区デザール橋のガス灯　一八六五年頃
シャルル・マルヴィル撮影
パリ歴史博物館

める（図4）。夜になると、そうした眺望は光の輪舞に変化し、あたかもコールリッジの詠う老水夫が熱帯の大海で見た魔術的な光であるかのようである。

ぐるりぐるぐる、またぐるり、
夜には鬼火が跳ね躍る。
魔女の油か海の面は
緑、青、白、燃え上がる。［「古老の舟乗り」一七九八年、『対訳　コウルリッジ詩集』上島健吉編、岩波文庫、二〇〇二年］

ナポレオンに出会うのはヴァンドーム広場の円柱だけではない。とはいえ、街路が交わる四つ辻やセーヌ河畔は、もっとも慎ましいところでも、印象主義者たちの絵画によって永遠に崇拝の対象にされた。いまでも、多くの街路や古く並木の続く大通り（ブールヴァール）には一八三〇年のパリの相貌が保たれている。これはなによりも住宅の輪郭の問題であり、とくに街路や大通りが交差する角地に建つ住宅は、ゴシック建築の外防壁や控え壁のように空に向かって立ちあがり、北側が煤煙で黒ずんでいる。こうした陰気で高慢な雰囲気の住宅には真の建築がもつ気高さがなく、挑発的で攻撃的な輪郭、こけおどしの羽根飾りがあるだけで、ピラネージとゴヤを、またヴィクトル・ユゴーの素描やグアッシュをともに想起させる（図5）。背景に雲が流れていれば、家々は岬のようなどっしりした荘重さを帯び、また青白い空であれば大聖堂のような神聖さに包まれる。古きパリに建つこうした住宅の輪郭に、ロマン主義時代の精神を見てとれるであろう。とりわけあの一八三〇年の精神を、つまり今日と同類に思われる、外観は主題も様式も異なるが根底では類似した作品が集中するあの年の精神が認められるや、われわれは声を大にして「一八三〇年のようだ」と叫ぶことになる。

一八三〇年——ユゴーの戯曲『エルナニ』（*Hernani*）とベルリオーズの『幻想交響曲』が発表された年。その前

図4――マドレーヌ聖堂とマドレーヌ大通り　一八九〇年－一九〇五年

図5――セーヌ通りとビュシ通りの交差点　カフェ・ル・ビュシ

後を見ると、一八二九年にはジュール・ジャナンの暗黒小説『死んだ驢馬と断頭台にかけられた女』(*L'Âne mort et la femme guillotinée*)、そして一八三一年にはバルザックの小説『あら皮』(*La Peau de chagrin*)、舞台作品ではデュマの『アントニー』(*Anthony*)とジャコモ・マイアベーアの『悪魔のロベール』(*Robert le Diable*)、一八三三年にはペトリュス・ボレルの『シャンパヴェール悖徳物語』(*Champavert, contes immoraux*)がそれぞれ世にでている。炎をあげ、閃光を発し、『幻想交響曲』について言われていたように悪臭を放つ作品ばかりである。サタン——ドラクロワの悪魔は陰鬱な都市の尖った屋根の上空に浮かぶ——があちこちで姿を現わし、背後にバイロンを、場合によってはサドをはっきりと感じる作品であるが、全体として、敵意を和らげる純真さ、みずみずしさ、快活さの印象を残すため、いまも魅力をふりまいている。

パリのもっとも心揺さぶられる印象は老衰である、と私が言っても誤解しないでいただきたい。このうえなく生き生きとした老衰である、とすぐにつけくわえておこう。サン゠シュルピス聖堂(図6)、オデオン交差点(図7)、マザラン通りとドーフィネ通りの分岐点(図8)の周辺の住宅、そしてカルティエ・ラタンの住宅すべて。ファサードはあらゆる疲労が溶けあった灰色と白色の虚弱なハンセン病者のようで、煤煙、錆、黴がモランディあるいはトティ・シャロイアが食指を動かすような色調をつくっている。シャロイアは実際にパリの家々を描こうとして、リコッタチーズやゼラチンのような不安定な中身へと滑り落ち、住宅と建物をほとんど溶かして自家製チーズにしてしまった(図9)。

パリの住宅はさまざまあれど、それらの疲弊を、老朽化した舞台袖のような外観だけを語るときに残るのは、古典的な輪郭なのである。ルイ゠レオポルド・ボワイーの絵画(図10)の背景に描かれた、死ぬまで忠実で高慢な古の擲弾兵の隊列が見せる、全体として堅固な形象である。夕暮れ間近の低い太陽の光に照らされると、あの家々は叙事詩のファンファーレを遠くまで鳴り響かせる。老いぼれのパリは屈服しないのである。どの家もそれ自体は高貴でなくとも、全体として古代ローマ遺跡の壮大さを帯びている。シテ・デュ・ルティロにあるような、凱旋門を飾る二体の

図6――サン・シュルピス通り　マンサール屋根の住宅ブロック

図7――シャルル・マルヴィル撮影　オデオン交差点　一八六六年頃

1269 PARIS.
Carrefour des Rues Mazarine
et Dauphine

図8———マザラン通りとドーフィネ通りの交差路　一九〇〇年頃　絵葉書

図9———トティ・シャロイア
サン・ジェルマン大通りの屋根　一九四八年　個人蔵

図10———ルイ＝レオポルド・ボワイー
《メッサジュリー広場への駅馬車の到着》一八〇三年
パリ　ルーヴル美術館

図11———C・J・A・ランシオー
シテ・ヂュ・ルティロ　一三番地〜一九番地　一九一八年八月
パリ歴史博物館

有翼の勝利像が、近代的な大文字で「ガラージュ」と書かれた入口に月桂冠をさしだすほどに（図11）。心ならずもシュルレアリスム的な家々で、その効果がグロテスクからかけ離れるほどに。パリの色調はどちらも支えることができる。丸一世紀も続いた栄光が、予想もしなかった聖遺物に真正さの証明書を与えるのである。

ケピと呼ばれるフランス陸軍の軍帽と籠手、そして赤い飾り紐の勲章をつけた近衛兵は、ブリキの兵隊のようにピカピカと光り、ブッフ劇場のアトリウムに佇む。シルクハット姿の男たちとパフスリーブ・ドレス姿の女たちが織りなす色とりどりのステンドグラスが、ノクタンビュール座の狭い入口を飾る（図12）。そこでは田舎の映画館のように呼び鈴が鳴り続け、窮屈で壊れそうなソファに万力のように体を締めつけられ、あちこちの多くの劇場と同じく赤色の褪せたカーペットと案内板は虫だらけである。しかも、私の目の前の窓を開ける老人は、カール・シュピッツヴェークの絵（図13）の登場人物のようなナイトキャップをかぶっている。どれも滑稽ではない。こうした外観には、過去が継続していること、曾祖父たちの時代がいまもわれわれのあいだに生きていると感じられる。一九世紀がその伝統や風習もろとも生き延びていると思える都市はパリをおいてほかにはなく、ある言葉に遠い過去の語源がほのめかされるのに似ている。そのため、サン・ペール通り、ボナパルト通りとジャコブ通りの角の骨董屋を埋めるアンピール様式の古い家具は、永遠の現在に属すかのようである（図14）。

たとえば、カルティエ・ラタンには、ピクチャレスク好きの学生、画家、外国人らが通う小さな食堂がある。天井の低いホールには真鍮の鋲飾りのついた古い革張りの長ソファが置かれ、奥にはひきだしに番号のついた整理棚がある。ゴシック風の型紙模様がほどこされたクリーム色の天井は煤けてところどころてかり、果物皿が並ぶカウンターの向かいに白い枠に縁どられた鏡がある。ウェイトレスは「若づくりの中年女（タルドーナ）」で、赤みがさした快活そうな顔に浮きでた頬骨、細い瞼のあいだから目で笑いかけ、顔を縁どる黒髪を首に一房垂らし、豊満でがっしりした腕を肘までめくりあげている。舞台も観客も同じ――このように環境が変わらず持続する場合の一世紀という時間にどれほどの価値があろうか――であり、つまりドーミエの時代と同じなのである。

アジェ撮影
図14———ボナパルト通りとジャコブ通りの角　一九一〇年
パリ歴史博物館

図12———パリ　ノクタンビュール座
入口のステンドグラス

カール・シュピッツヴェーク
図13———《貧しい詩人》一八三九年
ミュンヘン　シャック・ギャラリー

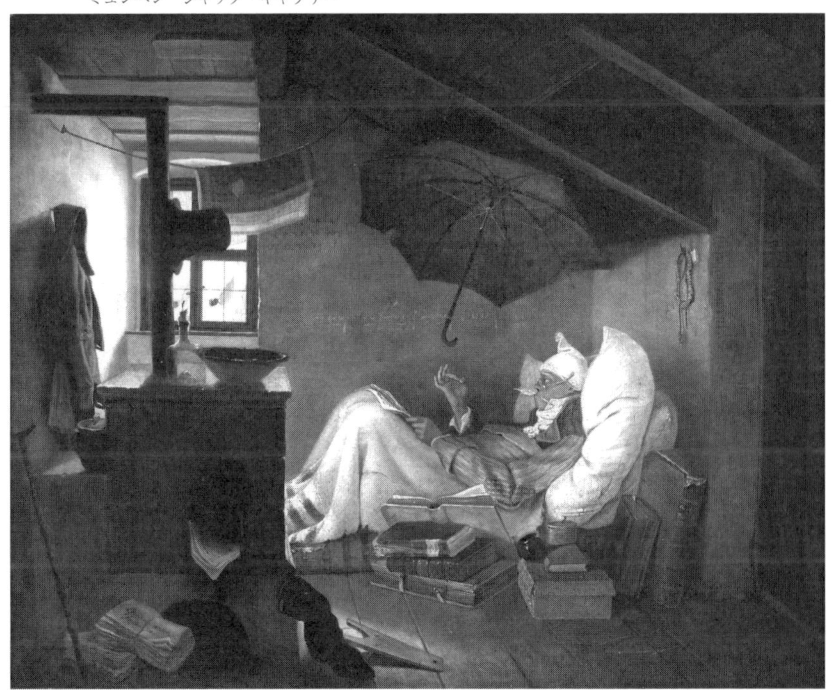

パリ以外のどこに、ふざけた名前がついた典型的にブルジョワ趣味のいたずら玩具（アトラペ）――電気マッチ、魔法のマッチ、香水噴射花、咳おこし暖皮、水槍と呼ばれる悪戯女――を売るバザールが存在する都市があるというのか。パリ以外のどこに、寝取られ男（コキュ）という俗っぽくどうしようもない人物を中心に据えた喜劇が、いまでもロングランする都市があろうか。パリでなければどこに、刺繍をあしらいスパンコールをちりばめた着古しの衣装に身を包み、髪は抜け落ちても青紫色の瞳は色あせない自動人形、軽業師、踊り子の面々、菫色が目立つ造花で編んだ葬儀の花輪、蠟人形館、そして蠟人形とそっくりなギリシア・ローマの英雄たちをテクニカラーの色彩で描いたダヴィッドの大画面、こうしたものどものくつろげる都市があるというのか。

つまるところ、いったい誰がパリの空の細やかに移り変わる色合いを語り尽くすことができるというのか。『ラ・ボエーム』に登場する灰色の空は、戯れにくるくると表情を変えてさまざまな効果をおよぼし、永遠にも思えるあの気流であたりを包みこみ、英仏海峡までそれほど遠くないことを感じさせる。冬が去り空が晴れわたれば、すべてが大西洋の青々とした大気に浸されたように思われ、白っぽい家々の塊はノルマンディー地方の断崖のように見え、英仏海峡の沿岸を、そしてさらに遠いオランダを、よく似た光の効果で景色を不滅のものにしたオランダの風景画家たちとともに想起させる。そのような空を背景に、フランスの三色旗が高らかに鳴らす三つの音色は、どれほどくりかえされようともけっして陳腐になることはない。

（一九五〇年［新保淳乃］）

ルーヴル美術館のイタリア絵画

モリエールの『タルチュフ』（*Le Tartuffe*）のどんでん返しの場面では、警吏の科白――「さぞびっくりされたでしょうが、どうぞご安心ください。われわれは詐欺欺瞞を目の敵とされる国王陛下の下に生きているのです」（鈴木力衛訳、岩波書店、一九八四年）――を受けて緞帳があがると、荘厳な法廷場面があらわれ、赤い法服に長髪の鬘をつけた判事たちが太陽王の輝かしい肖像画の下にずらりと並ぶ。これと同じように、地下鉄の地下道から、あの黄金に輝き、物語場面で飾られた、軽い眩暈を覚えるトンネルへ、すなわちルーヴル宮のアポロンのギャラリーへでると、現世から隔絶された至福の世界に身体ごと運ばれたように感じられる（図1）。そこは不滅の花々が咲きほこり、大きな窓から入る柔らかで均質な光に浸される。窓の外の世界は、演出のためにそこに置かれた霞がかった透視画のようで、煌めくダイヤのような栄光を宣言するこの巨大なホールの前では、なんの実質ももたない。

鍍金されたプラスター細工の格間、縄飾り、花綱飾りに囲まれて、ヴェネツィア派の色彩で描かれたドラクロワの《大蛇ピトンに勝利するアポロン》（図2）が、鈍く光る宝石のようにはめこまれた天井に表わされた栄光。並外れた金銀細工技術で飾られたピエトレ・ドゥーレの酒杯やアンフォラにふさわしい栄光。王冠、宝石、水晶、瑪瑙、紅縞瑪瑙でできた壺、戴冠式に王が身につける宝飾、聖画で飾られた聖遺物櫃、サン・ドニ大修道院長シュジェールの接吻牌、七宝焼きの顔のついた金の天使像、金色の鷲がのるエジプト産色大理石の壺、伝統的にシャルルマーニュ像と

図1———ルーヴル美術館アポロンのギャラリー　一八九〇年～一九〇〇年頃

図2———ウジェーヌ・ドラクロワ
《大蛇ピトンを倒すアポロン》一八五〇年～五一年
パリ　ルーヴル宮　アポロンのギャラリー　天井

されたすばらしい騎馬小像がしめす栄光。鏡のように磨かれた床の栄光。一七世紀の凝った鉄格子の扉をくぐり、その床の上を思い切って歩けば、妖精が棲む館の禁断の回廊を巡るようである。

ルーヴル美術館を観るならまさにここ、アポロンのギャラリーから始めるべきであると思う。この廊下は、金色の翼の鷲がダンテを浚い煉獄の縁に連れていったように、私たちを閃光の速さで夢と芸術の世界へと運んでくれる。「開け胡麻」の呪文が唱えられると、魂は「あらゆる活力を漲らせ」、大きく膨らんで、ありあまるほどの傑作が居並ぶ饗宴を受けいれる用意ができる。これこそが美術館たるもの、とりわけ広大で奥深いルーヴル美術館なのである。美術館というものは、オルダス・ハクスリーが『ピラトはふざけて』(*Jesting Pilate*, 1926)で語っていた流行のカリフォルニア海岸の様相と少し似たところがある。つまり、水着姿の魅惑的な女の子たちが、皆綺麗で花盛りの女の子たちが何十人、何百人と集まる光景は、その止めどない強烈さゆえに感覚を麻痺させてしまうのである。

有名な彫刻や絵画が並ぶ部屋から部屋へと見ていくうちに、熱狂は燃え尽き、両眼は見る力を失う。ルーヴルに収蔵されるすべての芸術作品を鑑賞するのに、それどころかただ見て回るだけでも、何カ月かかるか見当もつかない。今回、私は数時間しかなく、おまけに薄暗く日も短い時期であった。午後の四時から五時まで照明がつかず、開館時間のうち一定の時間帯は鑑賞することができなかったため、魂の抜けたような来館者たちが薄暗い展示室の間を彷徨い、おそらく、暗がりに乗じて掏摸が盗みを働こうとしていたとき、私は、大戦および前後の混乱で長らく観ていなかったイタリア美術の名作がきちんと並び替えられ、ロンドンのナショナル・ギャラリーのような大胆な修復に邪魔されずに、思いがけない相貌で姿を現わしてくれただけで満足したのであった。

現在、修復をめぐる論争が議題にあがっており、素人の分際でそれに口を挟むとあちこちの修復学派から信頼を失う危険に見舞われかねない。かくも壊滅的な試みがローマからフィレンツェとロンドンに対抗して、またロンドンとフィレンツェからローマに対抗して提示されている。私のような門外漢には、ロンドンのナショナル・ギャラリーにあるレオナルドの《岩窟の聖母》(図3)は読解可能な文字と同じに思える——ただし専門家たちは、たび重なる修

図3——レオナルド・ダ・ヴィンチ
《岩窟の聖母》一四九一・九二年〜九九年、一五〇六年〜〇八年
ロンドン　ナショナル・ギャラリー

図4――レオナルド・ダ・ヴィンチ
《岩窟の聖母》一四八三年・一四九四年
パリ ルーヴル美術館

図5——アンドレア・マンテーニャ《美徳の庭から悪徳を追放するミネルヴァ》一四九九年〜一五〇二年
パリ　ルーヴル美術館

復のせいで損傷した、むしろガラクタ同然にされたと指摘している――が、ルーヴルの《岩窟の聖母》（図4）は硬化して黒ずんだため表層が曇り、作品の魅力が削がれている。これでは、あえて《ジョコンダ（モナリザ）》に手を出す修復士などどこにいるというのか。それでもなお、われわれは胸に手を当てて自らに問おうではないか。かつての未来派たちの先入観を共有しないからこそ、緑色がかった泥土でふやけたあの女性肖像画に対してウォルター・ペイターをはじめあらゆるデカダンたちが捧げた賛辞を、どうしたら是認できると思うのか、と。

私たちは本当に確信できるのであろうか――マンテーニャの《美徳の庭から悪徳を追放するミネルウァ》（図5）やその他の絵画は、一六三〇年のマントヴァ包囲戦でフランス軍がイザベッラ・デステの小書斎から略奪したものであるが、思慮分別のある修復がなされたなら、ワニスの被膜のせいで今や曇ってしまったかつての晴朗さをふたたびとりもどせる、と。ルーヴル美術館が所蔵する多くのイタリア絵画の来歴についてあまり固執しないほうがよいであろう、その大半はナポレオンが戦利品として略奪し、返還対象から巧みに除外されたのである。パオロ・ウッチェッロの《サン・ロマーノの戦い》のパリにある断片（図6-1）に描かれた武具の銀色を蘇らせたような、賢明な修復ならばそれが可能なのか、と。「孤立し、偏屈で、陰鬱で、貧乏」とヴァザーリが形容した、老いたフィレンツェ人画家が描いた騎士たちは、樺の樹皮色の武具と派手な羽根飾りを身につけている。アフリカの呪術師を、あるいは人間以外の世界の生きもの、戴勝など風変わりな鳥類を想起させるあの鎧をつけた騎士たちは、「千花模様」を鏤めたゴシック式タペストリーのような背景からくっきりと姿を現わす。

ジョン・ポープ＝ヘネシーはその見事なモノグラフにこう書いている。「威嚇的な騎士たちは、モリオン［縁が反りかえり前立がついた兜］に顔を隠し、頸甲で首を守り、三日月形の肩当てで上腕部を保護し、前腕に籠手を嵌め、花模様で縁どられた膝当てに膝を通して、蘭の花のような羽根飾りを頭につけている。色彩――ルーヴルのパネル断片に痕跡が残る銀色の甲冑、ロンドンのパネルの中央に描かれた馬の空色の馬具、右パネルの赤と紫の楯――により、三枚に分かれた戦闘場面はひとつの紋章としての雰囲気を帯びる」[☆1]（図6-2・3）。色面を組みあわせたこの華麗なモザ

図6・1——パオロ・ウッチェッロ《サン・ロマーノの戦い　ミケレット・アンテンドロ・ダ・コティニョーラの反撃》一四五〇年～七五年の間　パリ　ルーヴル美術館

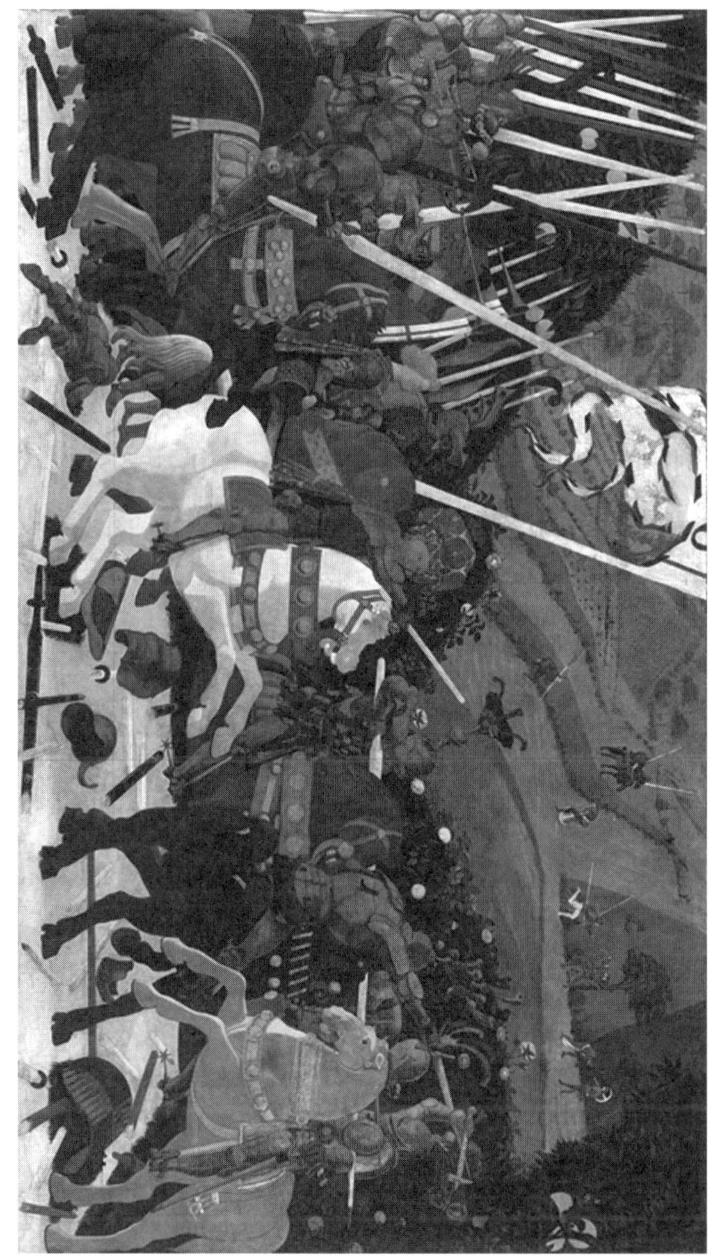

パオロ・ウッチェッロ
図6・2――《サン・ロマーノの戦い ミケレット・アンテンドロ・ダ・コティニョーラの反撃》一四三八年～四〇年頃
ロンドン ナショナル・ギャラリー

パオロ・ウッチェッロ
図6・3——《サン・ロマーノの戦い　ミケレット・アンテンドロ・ダ・コティニョーラの反撃》一四三五年〜四〇年頃
フィレンツェ　ウフィツィ美術館

イクもしくは嵌木細工（タルシーア）、長い槍と円形のかぶりもの（マッツォッキオ）の対位法、中国の難解なパズルか入子細工のように、色違いの覆いをつけた馬の胴体を断片的に挿入する仕方は、自然描写や透視画法への病的な執着に苛まれた美術品の、まばゆい装飾的外被にほかならない。この興味関心は、「無味乾燥な側面像だらけの描き方」を体得した画家に対してヴァザーリが寄せたものであり、ユリウス・フォン・シュロッサーもそこに注目してウッチェッロを半人前の素人美術家と呼んだ（またすでにバーナード・ベレンソンが、絵画を使って問題を解決するのに慣れた科学者と言っている）。

その一方、ポープ＝ヘネシーにとって、ウッチェッロの二元論は美術と科学の対立ではなく、不完全ながら両立した二つの視覚的伝統のあいだの、いまだ完全な統合にいたっていない二つの芸術的姿勢の対立であった。「一五世紀の枠組みにおいて、彼は視覚現象の世界に秩序を設定し、一枚の絵画のなかに驚愕的な複雑さを収めようとした革新者であった。ただし時代が進むにつれ、彼が写実主義的な目的で使った表象の多くは、そう見えなくなっていった」。たとえば、サンタ・マリア・ノヴェッラ聖堂の「緑の回廊」に彼が描いた《大洪水》（図7）では、ノアの箱舟の物語の別々の二つの場面をひとつの統一的な図式にまとめているため、読解には解説的な注釈を必要とする。他方、フィレンツェのサン・マルティーノ・アッラ・スカラ施療院の《降誕》（図8）では、ひとつの場面が視覚的に別々に表現されている。

パオロ・ウッチェッロには語形変化系表のようなものが、芸術作品の裏側にある視覚的構想が、ほかの画家よりははるかに強く認められる――つまるところ、ウッチェッロに関して、芸術作品について言えることがポープ＝ヘネシーにもわれわれにも疑問に思えないのは、この画家が自分の考案した図式を重厚で叙事詩的な創作法で包んだからである。同じ伝で、レオナルドにもなんらかの図式を見いだすことはできないのであろうか。『コネスール』誌（一二五号、一九五〇年五月）にて、批評家モーリス・H・ゴールドブラットは《ジョコンダ（モナリザ）》（図9）およびレオナルドが描いたほかの人物の笑顔を成立させる幾何学的骨組みを証明した。すなわち、口の輪郭は円弧に沿って引かれ、その円周が目の両端に接するため、鑑賞者の眼差しは両眼から口へと導かれ、また再び人物の利発そうな目へと戻り、

図7——パオロ・ウッチェッロ
《大洪水、ノアの泥酔》一四三六年～四〇年　フレスコ
フィレンツェ　サンタ・マリア・ノヴェッラ聖堂　緑の回廊

図8——パオロ・ウッチェッロ
《降誕》一四四六年頃　フレスコ
フィレンツェ　サン・マルティーノ・アッラ・スカラ施療院回廊／ウフィツィ美術館

図9——レオナルド・ダ・ヴィンチ
《ジョコンダ（モナリザ）》一五〇三年〜一五〇六年頃
パリ　ルーヴル美術館

図10──── チェーザレ・ダ・セストにかつて帰属
《天秤の聖母》一五一〇年頃
パリ　ルーヴル美術館

そこに浮かぶ謎めいた表情がどこか不穏に感じさせるのである。レオナルドの弟子たちの作品では、この笑顔の公式がしばしばうんざりさせる遊戯に変質しており、それはたとえばルーヴル美術館にあるチェーザレ・ダ・セストの《天秤の聖母》(図10)に見てとれる。そこからパロディまであと一歩である。たとえばチャールズ・アダムスの戯画では、下品な笑いでさまざまに顔を歪めた一群の映画観客のあいだにジョコンダが姿を現わし、謎めいた微笑を浮かべた彼女もまた、大勢のグロテスクな人物のひとりとなっている(図11)。

図11——チャールズ・アダムズ『モンスター・ラリー』一九五〇年

レオナルド自身、また彼の弟子たちにおいて、笑顔の優美さの発見は限度を超えてひとつのマニエラと化した。パオロ・ウッチェッロに、生気のない事物や人間をさまざまに配置して透視画法的遊戯を示そうとする努力が過剰に見いだされるのと同じである。「遠近法を短縮法的に用いて、鳥に目玉をくりぬかれている死体や、溺死した幼児の水で膨らんだ死体を描いたが、そのさまは言葉に尽くすことができない。……妻が言うには、パオロはよく一晩中書斎にこもって遠近法の問題にとりくんでいた。そして彼女が早く寝るように声をかけると、こういうのだった――『ああ、この遠近法というのはなんと心地よいものか』」〔ヴァザーリ『美術家列伝』、森田義之・小林もり子訳〕。

画家には画家それぞれの図式が透けて見える。マンテーニャには多色大理石やカメオへのあの連続的な拡張が、ダヴィッドには彫像への憧れが、カラヴァッジョとカラヴァッジョ主義者らには陰翳の諸効果の探求が、印象主義者らには光のこだわりが、という風に。実のところ、なんであれ芸術の根底に科学的な課題をもたない偉大な芸術家などいないのであり、絵画の歴史全般は、歴史の進展とともに、哲学者の耳には耐えがたく響くかもしれない何かを通した一連の発見として組みたてられている。なお、言うまでもなく、それぞれの芸術家を悩ませる問題はどれも異なるのであり、それぞれの芸術もまた同様である。パオロ・ウッチェッロの紋章のような戦闘図は、彼の偏執狂から生まれた精華である。ポープ＝ヘネシーのように、ギボンがプラトンについて書いたこと――「彼の詩的想像力は時としてこれらの形而上的抽象を明確にし、活動せしめた」〔『ローマ帝国衰亡史』二一章、村山勇三訳〕――をそのままウッチェッロにあてはめるのではなく、私ならばこう言いたい。「これらの形而上的抽象が、時として彼の詩的想像力を熱し、鼓舞したのである」。

（一九五一年〔新保淳乃〕）

パリの展覧会

クレベール大通りと凱旋門を結ぶ不安定な木道を、危ない鉄釘をよけて渡っていると、私の横を二〇台ほどの自動車が轟音を立てて走り抜けた（図1）。その一台から覗く滑らかな肌と大きな鼻の顔は、ルッカ出身の商人ジョヴァンニ・アルノルフィーニに見えた（図2）。深い鼻孔、くぼんだ頬、尖った顎、薄い眉の下の生気がなく冷ややかな眼をもつ顔は、鉄の塊が狂ったように走る地獄のさなかに訪れた凪のようである。いまから五世紀前に、ジョヴァンニ・アルノルフィーニがヤン・ファン・エイクの情け容赦ない冷徹なレンズのような眼の前でポーズをとったとき、今日のような日がくるとは想像もしなかったことであろう。[☆1] 彼がいた平穏なブルージュには、循環する地下鉄もなく、都市の端から端を往復するバスもなかった。いまや火を噴こうが古くなろうが使える自動車はすべて、セシル・B・デミルの映画に似合うエネルギーを充満させて、生きもののように増殖し麻痺状態におちいった交通網にとってかわる。このようなことはなにひとつ予想しなかったものの、アルノルフィーニの手に――恋する若者がもつ花や騎士がつかむ刀の柄のかわりに――握られた商業手形は、資本主義の、民主政の、ストライキの、何千もの部品からなる大規模機械の萌芽であった。それはのちの時代に、人並みの福祉を万人に保証し、また大衆の生活水準に順応できない者には地獄より過酷な飢えを約束すべきものである。

ペルージャ出身のチェーザレ・リーパは《デモクラツィア（Democrazia）》を、統一と平民統治を象徴する平凡な服

図1――エトワール広場と凱旋門　一九五〇年代　『イリュストラシオン』

図2――ヤン・ファン・エイク
《ジョヴァンニ・アルノルフィーニの肖像》一四三五年頃
ベルリン　国立絵画館

図3――《デモクラツィア（Democrazia）》
チェーザレ・リーパ『イコノロジーア』（チェーザレ・オルランディ増補改訂）第二巻
ペルージャ　一七六五年

図4――ホテル・マジェスティック
パリ、クレベール大通り一九番地　一九四八年撮影
一九四六年から一九五八年までユネスコ本部が置かれた

装を着て、束になった蛇を手にもつ擬人像として描いた（図3）。「尊重されず、真の栄光を付されるわけでもなく、蛇のように地を這うため、立ちあがってこのうえなく重大な物事にかかわることができない」〔チェーザレ・オルランディによる増補〕。チェーザレ・リーパも今日のような時代を想定しえなかった。しかしまさにいまここでは、誰もが地上を這いずり回り、わずかな隙間でもがきながら、蝮どもが冬眠する巨大な巣穴のごとく一塊にからまりあっている。この必然とも言える文明の一形態こそ、現在地上を覆いつくす大衆に唯一残された希望であり、闘争や大虐殺にかわる唯一可能な選択肢であり、すでに英仏海峡の向こう側でほぼ実現された偉大なる社会制度である。

西洋の民衆は、以前より動揺を抑えながらも、発作的にこの方向へ向かう傾向がある。凱旋門からコンコルド広場まで走り抜ける自動車、延々と連なる鉄製の蛇が滑らかなスピードで均質に動き、陰鬱で顔がないまま、蜜蜂の巣のようにブーンと鈍い音をたてている。凱旋門のまわりを渦をなして旋回する自動車。鉄の渦である。クレベール大通りのとある建物では、印刷された紙が渦巻く別のつむじ風が巻き起こっている（図4）。これらのものを動かす風はいったいどんな深淵から吹いてくるのであろうか。いつか「賭けは終了」の掛け声とともにこのルーレットを止めるのは、いったい誰なのであろうか。

ジョヴァンニ・アルノルフィーニは頭に巻いた赤いかぶりもの（マッツォッキオ）を外し、毛皮の縁取りのある深緑の上着を脱ぎすてた。このピクチャレスクな衣服の殻から這いでてきたのは、生気のない眼でじっと見つめる青白い芋虫のような男で、その手には老齢保険のクーポンが握られていた。

＊

「ベルリン絵画館傑作展」（プティ・パレ、一九五一年〔図5・図6〕）――ちなみに出品作はどれも傑作というわけではなかった――では、アルノルフィーニのほかに三人の人物像が目にとまった。ペトルス・クリストゥスの《若い女の肖像》（図7）は当然として、さらにヨース・ファン・クレーフェの《若い男の肖像》（図8）とクリストフ・アム

図5――プティ・パレ（パリ市立近代美術館）　シャルル・ジロー設計　一九〇〇年　パリ

図6――「ベルリン絵画館傑作選」展図録　プティ・パレ　一九五一年

図7――ペトルス・クリストゥス
《若い女の肖像》一四六四年頃～七〇年頃
ベルリン　国立絵画館

図8――ヨース・ファン・クレーフェ
《若い男の肖像》一五二八年頃
ベルリン　国立絵画館

図9――クリストフ・アムベルガー
《皇帝カール五世の肖像》一五三二年
ベルリン　国立絵画館

ベルガーの《カール五世の肖像》(図9)である。

ペトルス・クリストゥスの描く若い女性の青白く薄い肌色は、釉薬がひび割れて中国の陶器の表面のように繊細で類まれなものとなり、眼はアーモンド形で、警戒する羚羊のように脅えて表情が消えている。先の尖った高いトルコ帽をかぶり、刀の鞘のように三角形の襟ぐりのあいだできつく体を締められ、様式化された三連の首飾りをつけており、エジプト女王ネフェルティティの中世の姉妹に見える。彼女の唇は立葵の色褪せた花びらである。

ヨース・ファン・クレーフェの描く若者の唇は真っ白な芥子の花の色をして、憔悴のあまり骨が浮きでて尖った顔に咲く、奇妙な肌色の花のようである。ようやく回復した病人、あるいは、おそらく死にいたる病に侵された人の表情を思わせる。

同じく唇が記憶に残るのはクリストフ・アムベルガーのカール五世の肖像で、とくに下唇は信じがたいほど突きでて血の気がなく、半開きにした口の大きさと同じくらい上唇から離れている。また、白い透かしレースのしなやかな手袋をはめた手は、飼い猫の柔らかな足に似ている。

西洋美術が肖像画について、性格を表わす鍵となる外見の特質を占い師のごとく忠実に描くことについてどれほど研究してきたかを考えるとき、ここでは、特徴のない顔のマネキンであふれる標準化された世界への適応を拒絶することに、なによりも重きを置かねばならないと思えまいか。マネキンたちは群衆で考え、群衆で動き、夢を見るかわりに同じテレビ番組を同じ時間だけ見て過ごすのである。

パリで観たほかの展覧会では、過去の人物たちの抜け殻に出会える。シャルパンティエ画廊で開かれた「エレガンスの二世紀　一七一五~一九一五」展(図10・図11)の主催者たちは、何世代もの高貴な女性たちが身につけた何千着もの衣装のうち、奇跡的に保存されたドレスや希少で美しい衣服をまとったマネキンに、(頭部の図像が手に入るにもかかわらず)顔の粗いスケッチ以上の何かをつけようなどとは気にもとめない。ところが、ドレスに命を吹きこむ部屋の雰囲気つくりの、なんと細やかで洗練されていることか。それらが生まれた場を背景に並ぶ婦人用ドレスは、

SOTHEBY'S
GALERIE CHARPENTIER
Sotheby's
Sotheby's
Sotheby's
Sotheby's

図10――シャルパンティエ画廊（一九二四年～六〇年）
パリ　フォーブール＝サントノレ通り七六番地
一九八八年よりサザビーズ店舗

図11――「エレガンスの二世紀」展　一九五一年
パリ　シャルパンティエ画廊　展示風景

図12――アフタヌーン・ドレス（ティードレス）一九〇三年頃　綿・絹
メトロポリタン美術館（ブルックリン美術館服飾コレクション）
ジャック・ドゥーセ

図13――「エレガンスの二世紀」展
バッスルスタイルドレスとブーツを着たマネキン　一九五一年一月二五日
パリ　シャルパンティエ画廊

蝶々が自分に見合う空と同化するのと似ている。

「一九〇〇年のレストラン」の展示室では、リバティ様式のチョコレート色の壁紙を背に、今世紀初頭のドレスも年寄りじみたものに見えず、古典的で詩的に映る。隅に置かれたマネキンが身につける、細かいプリーツの入った薔薇色のモスリン製ティーガウンは、ヴァランシエンヌ風ボビンレースと薔薇色のサテン・リボンで飾られている――サラ・ベルナールのためにジャック・ドゥーセが仕立てたドレスである（図12）。あちらの婦人は小さな頭を後ろに向け、リバティ様式の青銅でできた鷺を手で撫でている。この群像では、ドレスの薔薇色と青銅像の緑色が、ランプの傘で弱められた柔らかな光のなかで結びついている。すでに古典的なパティナがついていまいか、それに見合う優美さと固有の相貌を具えた一連の様式のうちに位置づけられはしまいか。

「一八八五年の応接間」は壁一面に絵画や扇子が架けられ、棕櫚の木や中国の衝立が置かれた部屋で、ただ喜劇的なばかりではない。この温室では、パフスリーブやレース飾りの色鮮やかなドレスをまとう女性たちがまるで花のようである。だがつい最近まで、世紀末の女性たちが履いた高底でボタン留めのアンクルブーツをあざ笑っていなかったであろうか。網針レースで飾った白いパーケール生地の、後ろが膨らんだバッスル・スタイルのドレスから覗くあの白いブーツは、現在は嘲笑されないのである（図13）。金色の飾り紐がついた菫色のベルベッド地の硬いクッションにピン止めされた、あのオレンジの造花も、網タイツ、ガーター、トルコ靴、日傘、菱形にキルティングされレース飾りのついたコルセット、帽子、鳥の剥製や猟の獲物のパスティーシュもいくらか混ざったこれら死んだモードの衣服はすべて、まさに安物のガラクタと呼ぶべきものなのか、それともすでに芸術になったのであろうか。

本年三月初頭に閉幕した「偉大な家具デザイナーの代表作、一七九〇～一八五〇年」展（パリ装飾美術館［図14・図15］）を飾った、ルイ゠アレクサンドル・ベランジュ、ジョルジュ・ジャコブ、ピエール・ベルナール、ギョーム・ベネマン、シモン・ニコラ・マンシオン、ベルナール・モリトー、シャルル・ジョセフ・ルマルシャンの輝くほどすばらしい家具と同じく、これらの衣服も芸術なのであろうか。

図14――パリ　装飾美術館　一九〇五年開館

図15――船形ベッドとコンソール（第一帝政、一八〇四年～一四年）ジャコブ兄弟に帰属する肘掛け椅子（一七九五年～九九年）ルマルシャンの飾り棚（一八〇五年～一〇年）パリ装飾美術館　帝政様式の展示室

図16――一九五一年家政学サロン展　準備風景　グラン・パレ

「エレガンス」展では人物像はわずかに触れられるだけであった。今年の「家政学サロン」(グラン・パレ〔図16〕)で再現された「小説の主人公の家」の興味深い展示では、英雄はまったく登場せず、彼らの部屋に設定された空間の内装の趣味に存在が示唆されるにすぎない。カリオストロはこんな部屋で暮らしたのであろうか――蒸留器、長首フラスコ、薬壺のようなアルベレッロであふれた竈があり、棚には書物に混ざってフリーメーソンのコンパス、世界地図、天球儀、エジプトのブロンズ小像が並ぶ。凸面鏡、奇妙な貝殻、象牙製や陶製の頭蓋骨に囲まれ、さらには魔術師ツァラトゥストラのような金色の星が散りばめられた黒いマントをかぶり、そしてアレクサンドル・デュマ・フィスの『王妃の首飾り』の物語に出てくる、宿命の宝石を描いた板絵をあしらった椅子――これは欠かせない――に座って暮らしたのであろうか。あまりにすばらしすぎて本物とは思えない。

『椿姫』のマルグリット・ゴーティエのものとされた王政復古期の明るい板張りの素敵な応接間では、椿で満たされた花台が、暗い青色の壁を背に、王立セーヴル製陶所陶芸家のデプレによる、一九世紀初頭の王族を象った白い素焼き磁器肖像をはめこんだ水晶メダルと対比されるのであろうか。白い生花、ガラスの植物標本に挟んだ花のように白い頭部肖像。アドリエンヌ・ルクヴルールやマノン・レスコーの客間、『新エロイーズ』のジュリーのダイニング・ルーム、『危険な関係』のメルトイユ侯爵夫人の小書斎、『パルムの僧院』のサンセヴェリーノ公爵夫人の寝室、鬘をつけて拳銃を握った両性具有的なシュヴァリエ・デオンの応接間、『ブラジュロンヌ子爵』に登場する鉄仮面がいた、鎖でつながれた黒人群像と円柱に縛られたキリストの小さな象牙像の置かれた独房〔図17〕、ディケンズの骨董屋、ジョン・ゴールズワージーが語るティモシー・フォーサイトのリージェンシー様式の応接間。

アンヴァリッドで開催された「ナポレオン一世とその家族の土産」展ではいかなる疑念もゆるされない〔図18〕。ここでの英雄はもはや小説の主人公ではなく、ナポレオンに帰属するオブジェは実際に彼が使い、彼が身につけたものである。カリオストロは本当に、磁器の頭蓋骨に植えた二本の花の枝でできたランプを気に入ったのか、と疑うことはできても、ナポレオンがアウステルリッツ戦の夜に、大砲の形をしたこのボヘミア・ガラス製のグラスで酒を飲

図17――一九五一年家政学サロン展「鉄仮面の独房」『レアリテ』六二号　一九五一年三月表紙

図18――アンヴァリッド（廃兵院）軍事博物館　パリ

図19──ナポレオンが戴冠式に着たベルベッド・マント　一八〇〇年～一五年
フォンテーヌブロー宮　国立博物館

図20──皇后ジョセフィーヌの宮廷ドレス引き裾　マルメゾン宮　国立博物館
フランソワ・ル・ヴィラン

図21──室内（ナポレオンの死）一八二一五年　リトグラフ
パリ　アンヴァリッド軍事博物館

図22──ナポレオンの死の床となった客間
セントヘレナ島　ロングウッド・ハウス

んだことは確実である。匂檜葉の木箱に入ったリネン類、この白い靴下、この下着を彼は着ていた。珊瑚のカメオで飾られた剣、ターコイズ色の釉薬をかけた新月刀を彼は腰に帯びた。金色の蜜蜂を鏤めた青いマントは、《ナポレオン一世の戴冠式》に描かれた小さな人物像のマントとよく似ている。同じく蜜蜂の金糸刺繍が入ったこの亜麻布には、教皇ピウス七世が皇帝に塗油した聖油壜の油の跡が残っている。この靴やスリッパを彼は履き、同じくジョセフィーヌも、金色の花のスパンコールを鏤め、白い引き裾を長く伸ばしたこのドレスをまとった（図19・図20）。スペイン王ジョゼフに嫁いだジュリーは、長い赤の引き裾のついた別のドレスをまとった。

はたまた、ここに展示された衣服のなんとみすぼらしいことか、ナポレオンを連行するノーサンバーランド号の船室で彼が座った竹の椅子はなんと貧弱なことか、色あせた赤いベルベッドの薄いクッションを載せた鉄の長椅子のいかに貧相なことか。それがサンタ・ヘレナ島で彼が手にできた玉座であった。そして、彼が息をひきとった鉄のベッドはなんと小さいのか（図21・図22）。かくもはかない衣服は、片手で握りつぶせるような者どもが着ていたと言いたくなるかもしれない。

ところが、同展では、一八〇九年にシェーンブルンで学生スタップスがナポレオンを殺そうとした短剣も展示されていた。若きスタップスの短剣も、多数の戦いで放たれた大砲の弾も、二〇年間も巨人としてふるまった男のあの小柄な身体を討ちとることはできなかった。最終的にナポレオンは病に倒れ、ガラスの砂糖菓子入れに頼るまで落ちぶれた。あの菓子入れにはいまも甘草の欠片がすこし残っている。こうして英雄武勲詩は消え、そのあとにはいくらかの虚飾、何振かの剣、ガラクタ、潮が引いた海岸に打ちあげられた空の貝殻が残された。天界の無人空間を音もなくオートマタのような運動をくりかえす他の死せる惑星と同じく、地球そのものが空洞の殻となるその日まで。

（一九五一年［新保淳乃］）

第2部　イタリアの印象

ロマーニャ探訪

ある写真入り週刊誌が、ヴィチェンツァのヴィッラの荒廃についての記事でわれわれを驚かせたが、それと同じことは、ロマーニャのヴィッラについても指摘できるであろう。私が二〇年ほどまえ、ダブリンを訪れたとき、ロバート・アダムの天井の繊細なストゥッコ装飾が、ある場合にはクラブに、ある場合には貧民層のあばら屋へと変容した家屋に見いだされるという、無関心とそれ以上の悪い状態に、私は嘆息したものである。それでは、いま、ファエンツァのパラッツォについてなにを言うべきであろうか。

ここには、ロバート・アダムのような著名人ではないが、しかし、画家のフェリーチェ・ジャーニ（一七五八年〜一八二三年）は、とりわけ才智ある画家を欠いていたわれわれの新古典主義の時代に、ようやく最後に到来した者であり、まさにアラビアの不死鳥で、彼の発見については、最近の『パラゴーネ』誌に論考を掲載した、エンニオ・ゴルフィエーリとアントニオ・コルバーラという、二人のファエンツァ美術史の愛好者に心より敬意を払いたい。[☆1]しかし、『パラゴーネ』誌に掲載された写真は、ジャーニの彩色への熱意と生気について、まったく貧しい印象しか抱かせない。ジャーニは、ベルトラーニのような弟子たちと、また、彫刻家でストゥッコ作家であるトレンタノーヴェと共働して、ファエンツァとフォルリの数多くのパラッツォを、神話的、古典的主題、『イリアス』の逸話、ヘラクレスの功業、ローマの歴史によって装飾した（図1・図2）。その生き生きとした色彩、大胆な手法は、（ゴルフィエー

図１——フェリーチェ・ジャーニ
〈天井の装飾〉　一八〇八年〜〇五年
ファエンツァ　パラッツォ・ミルツェッティ

図２——フェリーチェ・ジャーニ
《ポセイドンとアンフィトリテの結婚》一八〇二年〜〇五年
ファエンツァ　パラッツォ・ミルツェッティ

リが適確に述べているように）「最後のバロック絵画の生命力が満ちたままで残り、早熟のロマン主義の熱情へと必然的に合流するもの」であり、天井の「額縁画」に、フリーズの繊細な明暗のあいだで、「冷たい新古典主義」という月並みの常套句（クリシェ）には決して収まりえない効果を与えている。

しかし、もしこれらのパラッツォのあるものが、壮麗なパラッツォ・マニャグーティ（旧パラッツォ・ミルツェッティ）のように（図3・図4）、善良な者の手に渡るという幸運を得た——現在の所有者は古いカーテンさえも維持しており、一五年前に、恐るべき司法の杖が家具のうちの最上のものを分散させたことを惜しんでいる——としても、大部分は爆撃によって損害をこうむり、急速な衰退と消滅の宿命に委ねられている。水が染みこみ泡となって浮きあがり、それらがグリザイユを損ない、絵画の形を崩す。ひどい皹割れが、石化した電光のように壁に走る。借家人の都合で大広間は壁によって分割され、ときには、豪奢な新古典主義風の小部屋が救急病院に充てられた。こうして、たしかに理由があって、自らの衰弱への不安に駆られながら、天井を実際に眺める唯一の人びとは、医者による診察のあいだ、診察台の上に横たわっている病人であろう。

なぜわれわれの先祖が、地方の小都市に、モニュメンタルな大階段と広い大広間を備えた、かくも大きなパラッツォを建造したのかという疑問については、別の議論が必要となる。現在では、それらの権威と富の誇示の無邪気な競争について微笑を浮かべることもできるであろう。しかし、その競争の結果が芸術の開花であったとしたら、また、それらのパラッツォはたんに地方の博識な人びとが誇りとしただけではない遺産であるとしたら、われわれは、アメリカ人たちのようなことをすべきなのであろうか。彼らの文明は解体のリズムとともに前進しており、「スクラップする」（scrapping）は、食物保存用の箱から、まだ四〇年は維持しうる建物まで、すべて彼らのスローガンの対象である。私は、新古典様式があまりに最近のものであり、美術史家たちが無差別に加えている、冷酷なアカデミズムの断罪に苦悶していることは承知している。そして、パドヴァのカフェ・ペドロッキ（図5・図6）のような横柄な簒奪をさせないために、ジャーナリズムを利用した抵抗の、しかしほとんど空しい努力についての記憶もまた最近に属するこ

図3――ファエンツァ　パラッツォ・ミルツェッティ
図4――ファエンツァ　パラッツォ・ミルツェッティ
図5――パドヴァ　カフェ・ペドロッキ
図6――パドヴァ　カフェ・ペドロッキ

とである。

先の教育大臣は、芸術品にたいする敏感な心情をもっていなかった。[☆2] 彼は、現在の事物に足跡を残したいのであろうか。これまで、教育省がおこなったすべてとは、写真を撮るために三万五〇〇〇リラを支出したことである。それはおそらく、将来の「失われたイタリア」展のための素材を準備しようという慈悲深い意図によるもので、その展覧会は公的な権威の助成によって開催され、それを記念する切手も発行されるであろう。「スクラップする」はアメリカでは機能しないことはない。なぜなら、解体される建物はいかなる芸術的な価値も有していないからである。しかし、われわれが実践していることは、かつて、貴重な金地を、現代の彩色された張り子の聖人像と交換して満足していた、田舎の欺されやすい教会人たちの習慣と同様に無分別である。

この現代の野蛮な行為について、残念ながら、ロマーニャの都市は多くの例を提出している。おそらく、プレダッピオ［ムッソリーニの生地］に近いことが、とりわけ政府への党派的な帰依へと諸都市をうながしていたのであろう。かつて、「五人会議」［ラジオ番組］において、われわれの歴史的都市の心臓部で、現代的なものと古代的なものを調和させる方法について論じていた。過去の制度はあるひとつの方法だけを思いついた。すなわち、都市の中心をとりこわし、そこにローマ大学の様式の典型的なやせ細った建物を挿入することである。この煉瓦と石による単調で味気ないファサードは、周りをとりかこむ家屋との連携を欠き、とりわけラヴェンナの調和を乱している（図7）。いまだに一九世紀の威厳と雰囲気を湛えている街路の曲がり角では、人びとは頭を突きあわせることになる。

たしかに、ラヴェンナは、その壮麗な聖堂と荘厳なパラッツォにもかかわらず、モニュメンタルな都市として、われわれの記憶にとどまってはいない。ラヴェンナはピクチャレスクな都市ではなく、すぐに凹んでしまうスフレのように、少しばかり慎ましく、弱々しい雰囲気を漂わせている。しかし、膨らんだスフレとは、現在、沼沢地の匂いがする、土砂で埋まりつつある虚弱なヴェネツィアという都市であったにちがいない。ラヴェンナもまた、ヴェネツィアのように、水の上に建てられていることに、われわれは、サン・ヴィターレ聖堂の円柱の礎石から染みでている水

図7——ラヴェンナ　ポーポロ広場
図8——ラヴェンナ　サン・ヴィターレ聖堂

によって気がつく。そして、この水に反射している、モザイクの海緑色に対するビザンティン様式の柱頭は、海底に置かれた茎(うけ)のようにわれわれには見える。この雰囲気のもっとも濃密な要素が、円柱の上に置かれた籠状の装飾の精密な透かし彫りのあいだを循環している。

モザイクの天井は、天空ではなく、まさに海底のイメージを与えている（図8）。そして、これらの黄金に塗られた人物、これらの乙女たちと老人たちの行列、これらの赤く輝く皇帝たちと皇妃たち（図9・図10）は、海底から現われ、深海魚の大きな不動の眼でじっと見つめ、ポリプの触手のように曲がりくねる蔓のあいだで、鱗のようなモザイクの小片を身にまとい、物語のなかの怪物のように、豪奢に飾りたてられている。古(いにしえ)のラヴェンナ人、この沼地の住人は、天空を水の球体のように、『創世記』と『詩篇』に記憶される「天の覆いの上の水」として想像したにちがいない。彼らの生のすべては、二つの元素の異なる関係によってひっくりかえされていたにちがいない。それゆえに、シドニウス・アポリナリスは五世紀に、ラヴェンナについて、次のような有名な記述をおこなうことができたのである。

……そこでは、羽虫が耳を刺し、夕方には、大量の蛙が周りで鳴き続ける。ラヴェンナはひとつの沼でしかない。そこでは、あらゆる生の形態が逆しまに提示される。そこでは、壁が落ち、水は留まり、塔は下に滑り、船は止まったままで、障害者が回りながら進み、その医師たちは寝台に横たわり、浴槽は凍り、家屋は焼け、生きている者は喉の渇きで死に、死んだ者は水に浮かんで泳ぎ、泥棒は眼を見開き、判事は眠り、司祭は高利で貸し、シリア人が詩篇を歌い、商人は武装し、兵士は物売りのように商いし、灰色の髭をもつ者が玉遊びをし、子どもが骰子で遊び、去勢された者が戦争術を学び、外国の傭兵が文学を勉強する。いかなる種類の都市がわれわれの家の神々を擁しているのかを、領(テッリトリオ)地をもつことはできるが、しかし大地(テッラ)をもつとは言うことのできない都市を考えてみなさい。

図9――《ユスティアヌス帝と従者たち》
図10――《テオドラ妃と侍女たち》　ラヴェンナ　サン・ヴィターレ聖堂
図11――《東方の三博士》　ラヴェンナ　サンタッポリナーレ・ヌオーヴォ聖堂

なにかパラドックス的なものが、現在のラヴェンナの雰囲気のなかに残っている。すなわち、それはアリスの「不思議の国」におけるような、ノンセンスという人を欺く要素である。ときには、サンタッポリナーレ・ヌオーヴォのモザイク画の三博士は、王の不倶戴天の敵である過激共和派（サン・キュロット）のフリュギア帽をかぶっている（図11）。ときには、丸い鐘塔が、長く広がる低い家屋と低い松林の上で、州（す）の端の潟（かた）に打ちこまれた杭を装っている。ときには、一列になって自転車に乗る日雇いの女性たちが、黒いハンカチーフにくるまれたひきしまった顔に頬骨を浮きあがらせ、武具のように鋤と鍬をつかんでいるのを見るならば、ヴォルガ川の農民のことが想い起こされるであろう。さらに、連想の糸を紡いでいくならば、ラヴェンナ人とロシア人、両者の背後に、ビザンティン絵画、モザイク、あるいはイコンという共通の背景が見えてくるであろう。

こうして、赤いラヴェンナをその平原のなかで、われわれの小さなロシアとみなすことができるであろう。そして、さらに、現代の諸党派をかきたてる些細な対抗心や衝突が、ビザンツ人たちを分離させた神学的論争の続きでしかないことを考えるならば、過去と現在は、近いものと遠いものは、一瞬にして結合されたと思えるであろう。大地は運河を覆い、パラッツォは貧相な家屋に場所を譲り、ファシストたちのこけおどしのファサードは都市の連帯を破壊したが、しかし、ラヴェンナの生は常に、地下水として継続してきたのであり、この都市を、ダヌンツィオや、「ラヴェンナよ、おまえは幼児のように、緩慢な永遠の腕で眠るのか」と歌ったアレクサンドル・ブロークに映ったように、沈黙と夢の都市と呼ぶことはできないのである。

（一九五一年［伊藤博明］）

ヴェネツィアの匂い

なぜ、ヴェネツィアが魅惑的な都市なのかについて、万人が知っている多くの理由を挙げることができるであろう。その運河、その蒼空、その古い敷石、と（図1）。しかし、壮麗な建築物も、詩的な曲がり角も、様式の統一感も（ホテルのファサードによって損傷され始めたが）、海がなくては、そしてとりわけ海の匂いがなければ、その理由とはなりえないであろう。それは、澱と泥と難破の混合から知られる、大洋の荒々しい匂い、人間に敵対する要素をもつ威嚇的な匂いではなく、特別な――晴れた日に感じとられる――洗練された、軽みを帯びた、女性的な匂いであり、あたかも、ヴェネツィアが自らの気孔から、美しい健康的な被造物として与えたかのようなものである。

この匂いがヴェネツィアの親密さを生みだしており、それによってヴェネツィアは、世界のほかのどの都市よりも十全にわれわれの五感をつかまえる。眼を大いに愉しませる町についていえば、私はまた、イタリアのいくつかの慎ましい町を知っている――たとえば、ラツィオ地方の薄暗い土地のサン・グレゴリオ・ダ・サッソーラ（図2）は、岩壁が円形の城壁に接して支えており、それは、プリミティヴ派の一人によって描かれた守護聖人の手のひらに載った都市のようである。

ヴェネツィアは眼を愉しませる。そして、自動車の交通がない至福の都市はわれわれの耳を休ませる。しかしまた――これは唯一無二のことであるが――この都市はとりわけ、われわれの最も官能的な感覚である嗅覚を幻惑する。

図1———一九五〇年のヴェネツィア

図2———サン・グレゴリオ・ダ・サッソーラ　ラツィオ州ローマ県

それはひとつの庭園のようであり、海の幸の菜園のようである。嗅覚が弱い人は、なにが真にヴェネツィアであるかを決して理解できないであろう。蒸留器を通すように運河を通して、都市の匂いである海のジャスミンが循環している。堰き止められた海の香気は、田舎の教会における田園の匂いのようであり、聖具室における香の煙の匂いのようであるが、草原が教会のなかで花開くことも、香が聖具室のなかで燃えあがることもなく、教会と聖具室には、あの匂いが蒸留という神秘によって甘美なものとされ、間接的に浸透し、そこに残っているのである。

これは次のことに似ている。古く静かなアパートメントのなかで、突然、中庭の噴水が奏でる音が消えたとき、あなたは、魔法が解かれたと感じるであろう。というのは、あまりに慣れ親しんでいたがゆえに、あなたがほとんど気づいていない噴水の奏でる音が、まさに沈黙の魔術の本質的な要素であったからである。

ところで私は、とくに私の好む文学者には入らない一人の詩人バイロンについての記憶を蘇らせたものを、この匂いに帰するべきか、私が出会ったすばらしいひとりの婦人に帰するべきか、迷っている。私がロンドンのギャリック・クラブでバイロンのソファーを見たとき、それに触ったことを告白するが、その理由は、そこにバイロンが座っていたからではなく、その家具の美しい新古典主義的な線のゆえであった。

かつて一度、私は、ベアテル・トーヴァルセンによるバイロンの胸像（図3）をミニアチュールに複製した、素焼きの小彫像を、私の書斎の保護壁のあいだに、ほとんど置きかけたことがあった。もし、その小彫像から手とその手が支えていた本が切断されていなければ、私は、イギリスの火山（ヴルカーノ）のように激しい詩人よりもむしろ、デンマークの古典的で「冷たい」芸術家のゆえにそれを置いたであろう。そして私は、その小彫像のことを、この詩人を研究しているアメリカの教授に伝えるにとどめたが、彼から私は心のこもった感謝を受けたのである。

さらに私は述べてしまうが、ソファーは別にして、ハロー校の生徒であったバイロンがいつも横たわっていたという墓は、私になにも語りかけはしなかった。グイチョッリーニ伯爵夫人によって保存された墓地の光景は私の記憶装置に弱い振動をひきおこすだけであった。しかし、この詩人についてのアメリカ人の慎重な伝記作家が書いている

図3――ベアテル・トーヴァルセン
《バイロン》一八二一年

図6――「マルゲリータ・コーニ」一八一七年　版画
ボストン　ボストン美術館

図4――パラッツォ・モチェニーゴ　一九世紀後半
カルロ・ナヤ撮影

図5――「室内のバイロン」一八四八年
ウィリアム・フレデリック・レイク・プライスの絵画にもとづく版画

ことに従うならば、バイロンが、「ハーレムと呼ぶことが野卑な追従であるような、その適切な名称については印刷しない方がよい、一区画を所用していた」、大運河（グランデ・カナーレ）に面したパラッツォ（図4・図5）のなかで、もはや一八一八年と一九年の月日に鳴り響いた人間と動物の叫び声はもはや聞きとれないパラッツォ——そこにいたのは、二頭の猿、一匹の狐、二頭のマスティフ犬、きらめく眼をもつ「黒人女（モーラ）」という、アポロンの女司祭の顔立ちとメデイアの情熱を具えた高慢な動物、そしてほかの女性たちと召使いたちを驚かせ、ときおりバイロンを笑わせていた虎、すなわちマルゲリータ・コーニ（図6）である——のなかで、そして、まさにバイロンが小さな檻を所有していたパラッツォ内のテラスの上で、私は突如として、彼のヴェネツィア滞在をめぐる神話のなかに浸されていると感じたのである。

　こうして、私の情感に呼びかけうると思われたのは、そこに一人の美しい女性が存在し、小さな庭園のいくつかの大きな樹が見え、鉄製の桁組みによって支えられた屋根から、かつては地図を収納していた二つの長いカッソーネまでテラスを覆うパーゴラが見えたからである。そこには、人目を惹く梁をもつ天井の下で、モチェニーゴ家の輝かしい事績をフリーズに描いた大広間があり、それはすでに夕方の影によって侵食されていた。そしてとりわけ、そこには、あの曖昧で、しかしそれとわかる、海の繊細な匂いが侵入していた。

　伝えられているところによれば、このテラスはかつて、ガラスによって保護された温室であった。床の鋲は絨毯をとめるのに使われたのであろう。そして、中空に吊り下がっている古い、磨耗したランプは、かつてはきれいに磨かれていたのであろう。いまは、青葉のドレープが彩る美しいテラスからは、広間の扉が、また影に満ちた別の扉が眺められる。そして、われわれはこの陰鬱な額縁のなかに、その蒼白で「宿命的な」容貌が一世紀全体を夢想させた人物が何カ月も現われたことを知っている。この者が、そして髪の毛を乱したメデイアという者が、そしてほかの多くの女性たちが現われた。「すべては娼婦」（all whores）——とバイロンは述べている——一人の、そこに数カ月いた一人の幼児（バンビーナ）を除いては。「私には、アレグラという名の庶出の娘がいて、それ相応に可愛い子で、父親に似ている。彼女の母親は英国人だが、長い話となる。——これで終わり」。このようにバイロンは、彼のもっとも鮮烈な出来事を伝える書簡の一通、トマス・ムア宛の書簡に書いている。そのことを、ピーター・クネルが編んだすばらしい選択による『バイロン、自画像、書簡、日記』[☆1]を読む者は理解できるであろう。

女性たちは悲鳴をあげ、子どもは初めての笑いと涙を体験し、猿たちは唸り、狐と犬たちは吠えた。そしてバイロンは、『ベッポ』（*Beppo*）と『ドン・ジョヴァンニ』（*Don Giovanni*）の「善良で、単純で、素朴な詩句」を朗読したのであろう。数カ月のあいだ、それは伏魔殿であった。そののち、ある日、気紛れと欲望の溜息の幕は降り、嫉妬の情景、使用人たちと女性たちの口論、猿とマスティフ犬の喧嘩、「コラ・コ・コア」という衣服を欲しがった黒人女（モーラ）の馬鹿

図7——ドナテッロ《受胎告知》（部分）一四三五年頃 フィレンツェ サンタ・クローチェ聖堂

げた挙動は消えた。ある者は短くも騒々しい運命のゆえに去り、ある者は長く続く老年の暗闇のゆえに去った。幕は永遠に降りた。そして、このパラッツォの一区画は、いまもひとつの貝殻のように残っており、それに耳を近づけるならば、そして特別の僥倖が訪れたならば、いまだに遠くから、海のようなざわめきを聴くことができるであろう。というのは、一世紀前の人物たちが消え去ったとしても、その場所はいまだに、すべてに権威と、言い知れぬ聖別された厳粛さを賦与する、戦慄すべき雰囲気を保っているからである。それは、かつて帝国様式の古い時計を護っていた、釣鐘状のガラス製の覆いの下にある美しい女性の小彫像についてもあてはまるが、その釣鐘状の覆いはいまでは、ドナテッロの微笑む天使（図7）とオリエントの謎めいた偶像の趣きをもつ、この優美な人物像の上で、噴水のくぼんだヴェールのように湾曲している。

　釣鐘状の覆いの下の小彫像、緑のパーゴラの下のテラス、歴史的事績で装飾された大天井の下の広間は、花弁と香料が一世紀前のあの宿命的人物の記憶と、ユノー然としたフォルナリーナ［マルゲリータ・コーニ］と、短い時間を過ごした幼児と、そして書物のなかで永遠化された喜劇のほかの人物たちと一緒になったポプリのように、萎びた古い葉と新鮮な薔薇の花弁からなるポプリのように混淆されている。そして、このポプリとは、伝説であり、魔法であり、詩であり、純化する塩と海の生物の果汁によって、数かぎりない柔軟化と分解化をくりかえす海の香りのようである。すなわち、それはヴェネツィアの匂い、その都市の薄暗く、重苦しい教会のなかの、聖母マリアの月（マリアーノ）［五月］の百合の香りのように心を動かす海の（マリーノ）もののような匂いなのである。

（一九五〇年［伊藤博明］）

エミーリアの一〇月

私が常に記憶にとどめているのは、レッジョとカステッラルクアートのあいだで、カザルマッジョーレとテッレキアーラのあいだで過ごした日々、秋の始めの黄金の日々、受動的ではなく、あたかも慰め、和らげ、穏やかにし、眩惑させようとする意志によって生気づけられた柔和な日々である。かぎりなく柔らかい光、穏やかで、純粋で、優しい火。天上のアポロンは弓と矢を放棄し、音が聴きとれないチェトラは、あらゆる事物を鎮める。

とりわけポー川の両岸では、夕方ごろ、田園の光景の音楽的な性質が際立ち、そのとき、川の表面は清らかで生き生きとした花弁であり、そして両岸の不動の木々は、黄金の軽快な空気のなかで宝石のように見える。それは、カナレットによって永遠に定められた日付をもつ風景である（図1）。現代の工場群も、ポー川流域の平野が、このような黄金の日々には、高貴な古代の言葉——それによってウェルギリウスの口調とコレッジョの色調（図2）が包まれている——を語るのを阻むことはできない。

たとえ人間たちの気質が変わろうとも、風景は幾世紀にわたって、自らの外見を装い続ける。そして、カルヴィアーノ［ミラノ近郊］のある田舎道で起こったことが、天空で生じることは決してないであろう。その田舎道には、「ヴォーリ・ジュゼッペ（旧キリスト）通り」と書かれたプレートが立っていた。私は、カルヴィアーノの住民が、ある小道、あるいはある村落の名前を「キリスト」という呼称からかえるのがふさわしいと考えた、このヴォーリ・ジュゼッペ

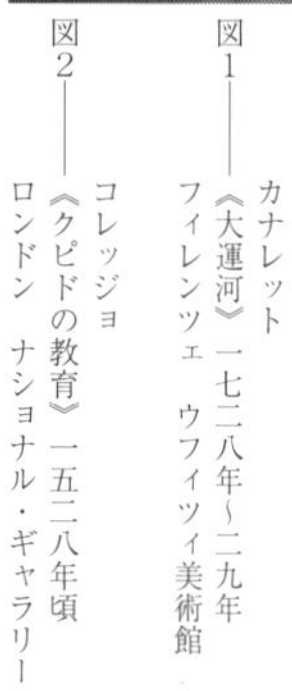

図1——カナレット《大運河》一七二八年～二九年
フィレンツェ　ウフィツィ美術館

図2——コレッジョ《クピドの教育》一五二八年頃
ロンドン　ナショナル・ギャラリー

図3――ルドヴィーコ・マッツァンティ《空飛ぶコペルティーノの聖ジュゼッペ》一七六七年　ロレート　大聖堂

図4――キアラヴァッレ修道院　回廊　アンコーナ県

が誰なのかを知らない。そのときはすぐさま、私にはこの名称が驚愕すべきものと思われたので、ヴォーリ・ジュゼッペが実は姓と名であり、空飛ぶ修道士ジュゼッペ・ダ・コペルティーノ（図3）のように、彼に飛ぶことを勧告している——飛べ（ヴォーリ）、ジュゼッペ——のではないことを理解するのに苦労した。

さらに奇妙なのは、キリストの名前が回廊に付与されていたことである。それは現在、キアラヴァッレ［アンコーナ県］のロマネスクの回廊（図4）に「ヴィヴァ・ジェズ［イエス万歳］」とか「ヴィヴァ・イル・ロザリオ［ロザリオ万歳］」と宣言する多色な横断幕が見られるのが奇妙であるのと同様である。というのは、「ヴィヴァ」は、永遠に称讃される事柄に向けられた、ほとんど意味をもたない祝詞だからである。

ともかくも、キリスト通り、あるいは「永遠の権能ある父」通り——そのように別の場所で、ある小作人の家屋の上に記されていた——は、かつて、これらの地域に根づいていた敬虔さを証明する名称である。この土地出身のひとりの友人は私に、このような敬虔さは、彼の曾祖父の時代には、公共的な用語において明確化されるにとどまらず、また、肌着の刺繍と三つ編み文様のあいだにも表現されていた。こうして、あるネグリジェには、一見してビーダーマイヤー風の小さな薔薇のあいだに、次のような敬虔な二行連句（ディスティコ）が縫いつけられていたのである。「私は私の快楽のために為すのでなく／神に子どもたちを捧げるために為す」。このような愛の概念について、D・H・ローレンスならばなんと語るであろうか。これを自然に反するものとして咎めることができるであろうか。

同じ友人は私に、彼の祖母の姉妹の修道女のことも語ってくれた。彼女はかつて、自分の周囲で何度も語られていた、「自転車」と呼ばれる新しい装置がどのようなものかを知りたくなった。祖母は、彼女の御者が、修道院の中庭で、この新しい気晴らしについて実証することができるであろうと示唆した。しかし、新しい乗りものを見るためには運転者として必ず一人の男性が居合わせなければならないという考えが、長らく、その宗教心に篤い姉妹を困惑させたままであった。しかし、彼女の意欲は存続しており、それは時とともにゆっくりと高まっていき、結局、かなりの月日を経たのち、次のような形態の妥協によって解決を見た。すなわち、御者は自転車についてたしかに実証してみせたのであるが、彼が自転車に跨がるさいには、長いエプロンを身にまとっていたのである。
このような躊躇が、この地方で、かつて広まっていたことを信じるには苦労を要する。というのは、いまは、過激派とみなされている党派がコロルノ［パルマ県］の大きなパラッツォ・ファルネーゼ（図5）に平然と侵入するのが許されているからである。このパラッツォは、崩壊しつつある、侮辱を受けた美を湛えている。その二階の大広間は、踊る女性たちの純白な浮彫りと黄金の穂でつくられた持送りを備え、その庭園は爆撃ですっかり荒らされてはいるが、いまだに晴朗な日々には、カナレットの言語で、調子の外れた言葉を囁いている。それは、そのすぐそばで、精神病院の狂人たちが、精神の大きな衰弱のなかで、脈絡のある文句を思いだすのに似ている。
私は、われわれの文化保護局の怠慢の極みの例を挙げたのであるが、その反対の、過剰な熱意の例も挙げなければならない。トッレキアーラ城［パルマ県］（図6）にいる門番は、きわめて穏やかな信頼しうる人物であっても、決して入城することを許さず、また、彼の上司からの電話での命令を受けることを拒絶した。然るべく記入され、署名され、公印が押された規定の書類だけが彼に、城壁内に一時的に保管されているパルマ絵画館の財宝を、あたりまえであるが、盗むつもりも、火をつけるつもりなく城を訪れる美術愛好家が「黄金の部屋」（図7）に入ることを了承させることができた。このような厳格さは、妥協に寛大な公証人の国においては、実際、恥知らずなことである。
コロルノにおいて、パラッツォ・ファルネーゼはあらゆる物理的、また政治的な風に開かれているが、別の家屋は、一人の恋に落ちた者の嫉妬深い配慮によって護られている。それはグラウコ・ロンバルディ教授の家屋（図8）であり、愛された女性は、ほかならぬマリア・ルイーザである。ロンバルディ教授は、幸運にも、ケルベルスよりもカンダウレス王のライヴァルであり、女公で后妃の貴重で洗練された遺品を展示することを心より喜んでいる。すなわち、すべてが帝国様式のアレクサンドリア風の優美さによって洗練された、刺繍、ピーチフェイス生地、絵画——珍奇なものとして入念に包まれた箱の奥底にあるコバルトブルーの小さな板絵——といった調度品、女公によって繊細に描かれた花々と蝶々のアルバム。小さな、しかも明瞭な文字で書かれた日記——七枚の乾燥し、青ざめた菫と、「不幸

図５———パラッツォ・ファルネーゼ　コロルノ　パルマ県
図６———トレッキアーラ城　パルマ県
図７———「黄金の部屋」 トッレキアーラ城　パルマ県
図８———グラウコ・ロンバルディ博物館　コロルノ

なパルマの記念品」という陰鬱な文句は、一八三一年二月の革命の日々における女公の逃走を記憶にとどめている。白い繻子の手袋と繊細な靴。青色と銀色の飾りのついた外衣。きわめて小さな傘。斑点のついたの白いビロードと、金箔が塗られ虫に喰われた木製の天使たちが飾られた婚礼用の籠――これはディケンズの有名な小説における、黴がはえた結婚ケーキのことを想い起こさせる（そのなかの紙製の箱には宝石箱があるが、内部は空である）。そして、一世紀以上前のパラッツォの部屋の光景を伝えるジュゼッペ・ノーダンの華麗な水彩画（図9）。「犬たちのラファエッロ」と呼ばれた、ヨーハン・マティアス・ランフトルが描くマリア・ルイーザの子犬たちの肖像画（図10）。

カステッラルクアート［ピアチェンツァ県］では、城、ロマネスク様式の聖堂、市庁舎が傾斜地に並んでおり、オペラの巨大な背景を構成している（図11）。そして実際に、ピエトロ・マスカーニとルイージ・イッリカは『イザボー』の構想をこの地で練った。この土地の現代の建築物は偽りの狭間胸壁と丹精に育てられた西洋蔦を備えており、かつて当地の領主であったヴィスコンティ家よりもマスカーニについて思いを馳せさせる。カステッラルクアートは、たしかに手の届かぬ隅ではなく、発見されるべき逸品である。こうして、私が立ち去ろうとしたとき、外国の旅行者たちの一群が、赤い観光バスに乗って押し寄せた。

一方、サッビオネータ［マントヴァ県］は、われわれからすっかり忘れ去られたように思われる。ダンヌンツィオも「沈黙の都市」シリーズに、この町を含めていない（しかし、オルダス・ハクスリーは『路上にて』において魅力的な論考を捧げている）。サッビオネータの名前は、仮借のない砂時計の砂によって飲みこまれる町を示唆している［イタリア語で「サッビオ」は砂を意味し、「ネータ」は「ネッターレ（取り去る）」の受動分詞「ネッタ」と結びつく］。

パラッツォ・ジャルディーノ（図12）の一翼の、かつて装飾され黄金がほどこされた格間の下には食堂がある。なにもない空間の古代ギャラリー（図13）には、フランスの第一一師団が占領した痕跡が壁の上のひっかき傷として残っている。一方、フレスコ画は、ガラスがなく枠もない窓から入ってくる大気で粉状になる運命にある（図14）。スカモッツィ劇場の高貴な半円形部分には神々の像が並び立ち（図15）、映画の上映が、かつては完全な透視画法によ

ジュゼッペ・ノーダン
図9――《子どもの勉強部屋》一八三二年
コロルノ　グラウコ・ロンバルディ博物館

ヨーハン・マティアス・ランフトル
図10――《ミロード、マリア・ルイーザの犬》
一八四二年
コロルノ　グラウコ・ロンバルディ博物館

図11――カステッラルクアート　ピアチェンツァ県

図12——パラッツォ・ジャルディーノ　サッビオネータ　マントヴァ県

図13——パラッツォ・ジャルディーノ「古代のギャラリー」　サッビオネータ　マントヴァ県

図14——パラッツォ・ジャルディーノ「古代のギャラリー」　サッビオネータ　マントヴァ県

図15——パラッツォ・ジャルディーノ　スカモッツィ劇場　サッビオネータ　マントヴァ県

図16——市庁舎　サッビオネータ　マントヴァ県

る背景があったところに白いスクリーンを置いて、実施されている。市庁舎の一室では、甲冑に身を固めた、黒い四人の騎士が、鷲のフリーズと果実の花綱装飾の下で、天井から地面まで、都市の布告、イタリアのすり切れた地図、そして書記の不安定な机を護っている（図16）。インコロナータ教会の回廊のちょうど中央には、一部破損したテラコッタ製のストーブが置かれており、それにはセメントで小さな飛行機が冠せられているが、それをおこなったのは、身体を震わしていた老いた門番によれば、一人の「悪童（プテル）」であった。

無関心と放棄が続いていくと、砂のなかに半ば沈んでいる、このサッビオネータという貴重な貝殻は、平凡な村落になってしまうこともあるかもしれない。しかし、いまでも、この無視されていること自体が、文化的なものと田舎的なもののあいだで、ひとつの新しい魅力をこの町に賦与している。すなわち、パラッツォの形状をもつ、慎み深い漆喰でできた、農民たちの家屋。それら自体が田園の卓越した本質を滲みこませている、湿って緑色と化した壁。そして石のあいだの草。そしてあらゆるところに発散される葡萄の絞り汁の匂い。

サッビオネータは、その輪郭が貴族的な家系に属することを露わにしている美しい女農夫である。サッビオネータは、あの一〇月の黄昏のなかで、静かに流れゆく大きな川の近くで、光り輝き、生気に満ちた薔薇の花弁のように、私の広範囲にわたる、長いエミーリア滞在の他（た）のいかなる外観よりも、私の記憶の中にとどまるであろう。それは五日間の出来事であった。

（一九四七年［伊藤博明］）

ローマの香り

アメリカからローマに戻ってくると、新たな眼でローマを再び見るということ以上のことが起こった。よく知られているように、不在ののちに慣習化していた環境に近づくと、初めはわれわれのレンズの焦点があわず、元来の視像に戻るためには、多かれ少なかれレンズの調整が必要となる。しかし、私の場合は、見ること以上に感じることが問題であった。建物、街路、庭園は以前のままであった。しかし、私はその総体のなかに、かくも突き刺すような、しかし風味のある香りがする何かを感じたのである。たしかに、現代的な世界での三カ月の生活は、長く続いた風邪のようなものであった。私は、突如として、ローマで再び、その香りと匂いがはっきりとわかった。そして、そこで湧きでた感情は、地中海世界とローマをはじめて訪れた多くの外国人たちが抱いた感情に似たものであったにちがいない。

一八七〇年から現在までの、ガルバテッラ地区とそのアルキメーデ通り――この通りは「富裕者のガルバテッラ」とも呼ばれる――全体（図1）を含む、ローマ全体の変貌によっても、ローマの香りはなかなか死に絶えない。この香りは、この都市の多くの部分において消え去ったが、まだ多くの片隅でもちこたえ、それどころか、一九世紀のローマの香りが、あたかも閉じられた聖体容器のなかにあるかのように保存されている地区がいまだに存在している。私は幸運にも、ちょうどローマへの帰還後に、一九世紀のローマに没頭するためにこれ以上ふさわしいものはない、

図1――アルキメーデ通り　ローマ

図2――ジュゼッペ・ヴァージ《ヴィッラ・パトリッツィ》一七六一年

図3――ヴィッラ・パトリッツィからの眺望
ピア門とアルレリアーネ市壁
一八七〇年九月撮影

図4――ヴィッラ・パトリッツィと狙撃兵のモニュメント
（一九三七年建造）

三冊の刊行物を入手した。ここローマは、あたかも七つの丘が手に負えないヒュドラの七つの頭部であるかのように、半世紀以上にわたる破壊をもってしても消滅してはいない。

ヴァーノン・リーは、ひどい荒廃の時代の一八九〇年に、次のように主張することができると信じていた。「明らかに、ローマは現在ほどローマ的なことはなかった。破壊と建設と発掘、時と特徴の不調和な対照は、その永遠で、静穏で、皮肉な性質を付加するだけである」。このような観点はわれわれに慰めをもたらしうるものの、しかしながら、私が、ピア門の入口から短時間の距離にある、ヴィッラ・パトリッツィの邸館（図2）の上から撮られた写真を見るとき、リーの時代からこれまでローマに加えられてきたことの甚大さは、いかなる優雅な詭弁をも許さないように私には思われる。

この写真は、リヴィオ・ジャンナットーニが、昨年一一月の『鉄道工学』（*Ingeneria Ferroviaria*）誌に掲載された「運輸省庁舎ヴィッラ・パトリッツィ」（'Villa Patrizi sede del Minstireo dei Trasporti'）において複製している。ピア門の彼方、壁で囲まれたなかに、まばらなヴィッラとともに多くの庭園が見られる。糸杉、松、常磐樫、並木道と彫像が満ちているように感じられる緑のカーテン、常緑樹の芳香の帯、植物と太陽と世紀によって蒸留された芳香の帯。私は、壁の小さな割れ目――そこを狙撃兵たちが通っていた――を、その光景が現在示している変化の原因とするつもりはない。ローマはそれ自体が、きわめて緩慢に、しかし不可避的な仕方で変わっていったのであろう（図3・図4）。「北の人びと（ブッズーリ）」［一八七〇年以後ローマに移住したピエモンテ人］がローマの貴顕たちに、何世紀も続く自らの庭園から神聖さをとりのぞくように強いたと言うこともできない。それどころか、フランチェスコ・パトリッツィ侯自身が、一八八四年にヴィッラの破壊を始め、それを小さな部分に砕いたのである。その前年に、ピオンビーノ公ドン・アントニオ三世の死にさいして、信託遺贈制度の廃止によって遺産を全体として残すことが許されなくなったため、それを相続人たちに分与しなければならず、ローマのヴィッラのなかでもっとも美しく有名なヴィッラ・ルドヴィージ（図5・図6）のために同様な決定がなされている。

図5———ジェゼッペ・ヴァージ《ヴィッラ・ルドヴィージ》一七六一年

図6———ヴィッラ・ルドヴィージ　ローマ

ここにおいても――ジュゼッペ・フェリーチがボンコンパーニ・ルドヴィージ文書館の資料にもとづいて一九五二年に編纂した、『ローマのヴィッラ・ルドヴィージ』（*Villa Ludovisi in Roma*）というすばらしい刊行物（限定三〇〇部）から知られるように――同公の一族は破壊に手を染めたのであるが、それは、不運にも、建築可能な地域（非情なウェヌスとメガイラ［復讐の女神］にとっては喰らうべき肉以外のものではない）という致命的な許可が与えられていた庭園を売却して莫大な利益を得ようと望んでのことであった。しかし、いかにして、別の仕方でボンコンパーニ・ルドヴィージ家は、ヴィッラという白い象を維持できたであろうか。

ルドヴィージ家のグレゴリウス一五世の「甥たち」の長男が、ローマのなかに、あらゆる壮麗さに囲まれた公の一族を位置づけようとして、ピンチョの丘にきわめて快適な場所を取得してから随分と長い時間が経った。それ以前に、半世紀以上もまえには、別の枢機卿、ジョヴァンニ・リッチ・ダ・モンテプルチャーノが、ヴィッラ・メディチ（図7・図8）という名称になるヴィッラを建てるためにそこを買いとっていた。そのヴィッラは自然の美と芸術の美で満ちており、次第に拡張していき、ポルタ・ピンチャーノ通り、ポルタ・サラーリア通り、現在のアメリカ合衆国大使館のあいだで、いわば大きな台形をつくった（図9）。それらのことについて、フェリーチのモノグラフィーは詳細に記述している。

かつて戸棚には貴重な書物があったが、いまは散失し、部屋のなかにあった絵画もまた、とくに資産の浪費家、一八世紀後半のジャンバッティスタ・ルドヴィージ公が原因で消失した。彼はスペイン語で「余はポンブリン公なり」（Yo El Prencipe de Pomblin）と署名する愚か者であった。そして、驚嘆すべき、貴顕の遺体用寝台も、宝石をちりばめたシーツも消失してしまった。これらの装飾についての描写は、デゼッサント［ユイスマンス『さかしま』の主人公］のような者を満足させるであろう。というのも、その細部について次のように示すことができるからである。「上述のケースのなかには、アメジストの海の岩礁と玉髄の山がある田舎の光景があり、ラピスラズリの海岸があり、一一個の小さなダイヤモンドをあしらった黄金の馬車と、別の一六個のダイヤモンドをあしらった薔薇があり、ダイヤモンド

図7——ヴィッラ・メディチ　ローマ

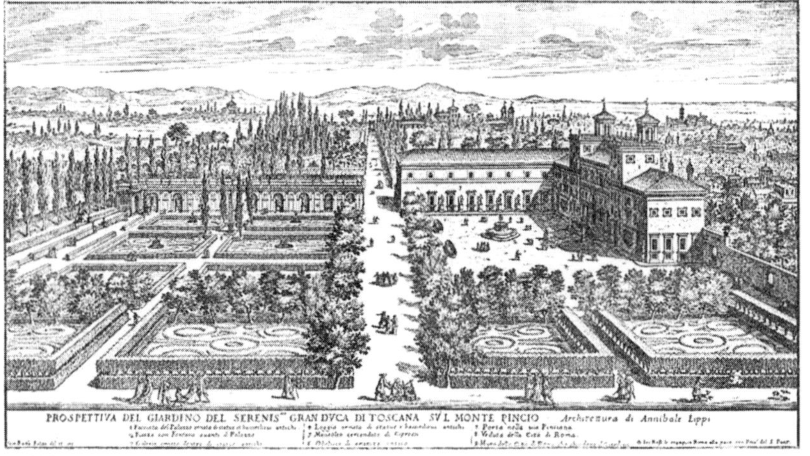

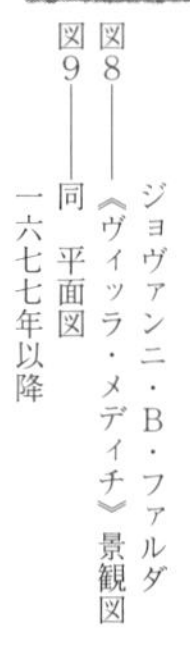
図8——ジョヴァンニ・B・ファルダ《ヴィッラ・メディチ》景観図
図9——同　平面図
一六七七年以降

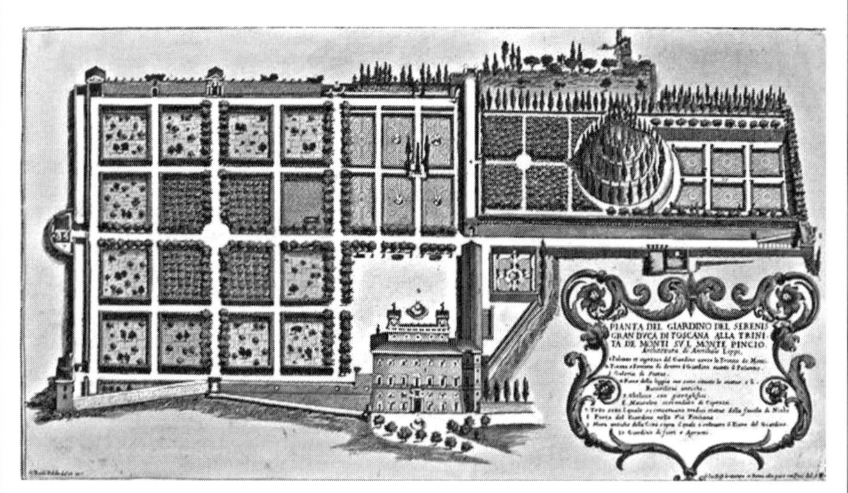

図10———ヴィッラ・ボルゲーゼ　ローマ

図11———ヴィッラ・ドーリア＝パンフィーリ　ローマ

は合計二七で、小さな宝石台につながれ、この馬車の上には、石灰色の顔をした、柘榴色の腕なしの衣服をまとったディアナの人物像がある」。

その高価なシーツは抵当に入れられ、イエズス会士たちによって売却され、五つの小礼拝堂の建立とミサの挙式にかかわる遺言状が執行された。このシーツやそれに類した虚栄について、われわれは微笑むことができるし、あるいは、君公たちが宝石と彫像と庭園の静かな並木道のあいだで愉しんでいた一方で、ローマの大衆がいかなる情況にあったのかを考えて、憤激することもできるであろう。一九世紀になっても、ホーソーンやジョージ・オーガスタス・サラのような外国人旅行者がローマの民衆の悲惨さに怯えたのであれば、まだ啓蒙されていない世紀において、いかなる光景が彼らの眼に映ったことであろうか。

しかし、虚栄に対するわれわれの憤激あるいは微笑みは、庭園を前にして止まる。宝石をちりばめたシーツはおそらく、アメリカにおいて、ほかの多くの宝蔵品とともに消えたのであろう。しかし庭園は最後まで、ローマの大衆のもとに、そのままの姿でのこる、昨日のヴィッラ・ボルゲーゼ（図10）のように、明日のヴィッラ・ドーリア＝パンフィーリ（図11）のように。結局、大衆のローマが幻影ではないように、諸公のローマも幻影ではなかった。生き残ったヴィッラは、モンテ・ジョルダーノやサンタ・マリア・イン・トラステヴェレ付近の古くからの民衆的な街区と同様にローマである。しかし、長らく打ち棄てられ、区画ごとに売られた庭園の上に生まれた街区は、もしそれらが幻影ではないとしたら、いったいなんなのであろうか。

ダンヌンツィオの『岩石の処女』（*Vergini delle rocce*）の、「すでに長い年月、〈美〉と〈夢想〉に捧げられている場所」の破壊についての一節は、実業家たちの嘲笑を惹き起こすであろう。しかし、彼らには、私に向かって、前世紀［一九世紀］の終わりの、ローマの建築的思弁は、原料の黄金を手に入れるためだけに、金細工師の貴重な作品を溶解する泥棒の思弁に似ていないか語ってもらいたい。いずれにせよ、貪欲なローマの建築的思弁にとって天罰がくだった。そして、ピオンビーノ公は、厄災の縁にあって、破壊された庭園の端に建てられていた横柄でわざとらしいヴィッラを手放すべきであったろう。
幸運なことに、ローマの新しい所有者たちは、すべてをとりこわすための十分な財力をもちあわせていなかった。というのも、もし可能ならば彼らがおこなったであろうことを私は疑わないからである。そこで彼らは、ヴィットーリオ・エマヌエーレ大通り（図12）とヴェネツィア広場（図13）を少しとりこわすことだけにとどめた。こうして、民衆のローマの大部分は救われることができた。これらの街路のなかには、ペッレグリーノ通り（図14）、コロナーリ通り（図15）、バンキ・ヴェッキ通り（図16）、ゴヴェルノ・ヴェッキオ通り（図17）があり、こうして通りを挙げていくと、それらの背後に、モンダドーリ社からジョルジョ・ヴィーゴロ編集で刊行された、ジュゼッペ・ジョアキーノ・ベッリの『ソネット集』（*Sonetti*）の豪華版が見いだされる。そのすばらしい外装（図18）は、疑いもなく、アントワーヌ・ジャン・バプティスト・トマの『ローマの一年』（*Un an à Rome*）の着色版画の精妙な複製である。

図18――ジョアキーノ・ベッリ『ソネット集』 ミラノ 一九五二年

図12―――ヴェットーリオ・エマヌエーレ通り　ローマ

図13―――ヴェネツィア広場　ローマ

図14――ペッレグリーノ通り　ローマ

図15――コロナーリ通り　ローマ

図16―――バンキ・ヴェッキ通り　ローマ

図17―――ゴヴェルノ・ヴェッキオ通り　ローマ

図19——アントワーヌ・ジャン・バプティスト・トマ
『ローマの一年』
パリ　一八二三年

図20——バルトロメオ・ピネッリ
《ユピテルの前のウェヌス》一八〇九年
オタワ　カナダ国立美術館

トマはベッリの同時代人であり、彼もまたローマの民衆の風俗、祭儀、迷信の絵画を描くことに身を捧げた。それは、少なくとも最初の意図においては、ベッリがおこなおうとしたことであった。しかし、トマの意図は、繊細な緑色と薔薇色を帯びた理想郷(アルカディア)であり、彼のチョチャリーア人［ラツィオ地方南部の人びと］はまさにパリ人である（図19）。それは最新流行の服を着る者たちの悦楽であるが、しかし、ベッリにおいてはまったく別のものであった。それは、ディケンズとホーソーンが見ていた、衰弱した政府によって抑圧されていたローマであり、文明のいくつかの欠片をもつ広大な牧草地のローマであり、雑種の言葉を話し、さらには、彼らをいわば英雄的な彫像と思わせる、田舎者と威厳ある者との中間の顔つきをしたローマである。しかし、バルトロメオ・ピネッリの描く英雄たちの顔つき（図20）ではなく、野獣のようなヘラクレスや畜殺者のようなマルスの、陰気で強健な英雄たちの顔つき（ベッリについて多くの偉大な名前を挙げることに、私はためらっている）、ゴヤの英雄たちの顔つきである。

ヴィーゴロはベッリの詩の文化的背景について、彼のロマン主義とフォークロア、ルソーとヘルダー、そして「自然詩」（Naturdichtung）との関係について詳細に、徹底的に調査し、さらに、ベッリの喜劇性を正確に明らかにした（シャルル・ユベは、昨年［一九五二年］一月の『クリティク』誌の「笑いの悲劇的基礎」［'Fiond tragique du rire'］という論考において同様なことを書いている）。そして、アメリカの作家、エルアノール・クラークは、ベッリとの接点をもつ者として、ミケランジェロ、レオナルド・ダ・ヴィンチ、ジョヴァンニ・ダ・パレストリーナ、ピラネージ、そしてジェイムス・ジョイスについて語っている。しかし、私にとって、ベッリの詩はゴヤとロバート・バーンズの側にある。私は、ジョズエ・カルドゥッチの「パーシー・ビッシュ・シェリーの墓にて」（'Presso l'urna di Persy Bysshe Schelly'）のような楽園(エリュシオン)のなかで、二人を一緒に会話させてみたい。

ベッリは自らの詩篇に、ロレンツォ・リッピの『不幸な結婚をした女(マルマンティーレ)』（*Malmantile*）のようなアカデミックな手本にもとづく言い回しや格言をはめこむ術を会得したのであろうが、しかし、それはしばしば、ゴヤの『ロス・カプリチョス』（*Los caprichos*）に似た辛辣な調子を帯びていた（図21）。ヴィーゴロによって悪魔主義(ディアボリズモ)と名づけられた、ベッリの詩のシュルレアリスム的な効果は、ゴヤ風の性質をもっており、われわれは彼の「魔女」を読みながら、ゲーテの魔女の宴よりもむしろゴヤのことを想い起こす（図22）。また、鏡の前で着飾る耄碌した老女たちについて読みながら、ゴヤのことを、また、狼人間の驚愕させる逸話を前にして、『ピロクテテス』でなくゴヤのことを、さらに、前景に「殺された御者の死体」を載せた荷馬車が描かれた、ローマの荒涼とした平野の光景を前にして、やはりゴヤのことを想い起こす（図23）。そして、「淑女レティツィア」は、ゴヤがスペイン王妃におこなった絵画の類の残酷な肖像画ではないであろうか（図24）。

しかしながら、ベッリの皮肉のなかは、サディステックなゴヤにはない、より穏和な趣きが見いだされる。それは苦いものであるが、諧謔的な調子を帯びている。この点において、彼は、荒々しさによって表現された民衆の情念の強さのなかにあり、そのことによって私は、ロバート・バーンズの名前を挙げるように誘われた。バーンズは、彼自身がひとりの民衆であったのであり、愛を身体的な情念として感じとり、きわめて強い情感をきわめて単純な言葉によって——ベッリがただ「良い天気であった」と、優れて経済的な表現で述べたように——表現し、最後の被造物に対しての慈愛を呼び起こし、貧民たちの心労に憤激して、教会人たちに偽善者の烙印を押し、ドイツ人が「引かれ者の小唄」（Galgenhumor）と呼んでいる強い反骨心を所有していた。

バーンズの物乞い、娼婦、酒飲みは、ある種のバロック的な気取りを具えており、ベッリの「二種類の人間」、「夫人の正義」、「悔い改めぬ者」、「シェザリーニの案件」は、バーンズの「陽気な乞食たち」によって「歌われる」であろう。そして、ベッリのローマ人が「自分の好みで四つの一突き」を約束するとき、彼は、「短剣と腰のピストルで」脅して、「通りに降りていかせ、最初に出会った者に刃を立てさせる」スコットランド人［バーンズ］から遠く離れているわけではない。

スコットランド、スペイン、そしてローマにおける、長老派の専制と重税——実際、事態は良くはならなかった。環境の同じような条件が、実証主義者たちが主張するように、必ずしも同じ現象をひきおこさないとしても、ベッリ、

図21——フランシスコ・ゴヤ
「理性の眠りは怪物を生む」
《ロス・カプリチョス》第四三番　一七九九年

図22——フランシスコ・ゴヤ
《魔女のサバト》一七八九年
マドリード　ササロ・ガルディアノ美術館

図23——フランシスコ・ゴヤ
《共同墓地への荷》一八一二年〜一五年

図24——フランシスコ・ゴヤ
《カルロス四世の家族》一八〇〇年〜〇一年
マドリード　プラド美術館

図25——《ヴィッテンベルクの上のメフィストフェレス》
ウジェーヌ・ドラクロワ
一八三九年

ゴヤ、バーンズの場合には、私にとってひとつの家族圏と思えたようなものを創出するのに十分であった。だが私は、バーンズもベッリも、方言のかわりに洗練された言語で書こうとしたときには憔悴したと主張するまで、彼らの類似関係を拡大するつもりはない。

結局、ベッリの人生は『ソネット集』の一〇年間を除けば、「才智も幸福も欠いた、交渉ごとや文学アカデミーなどの小さな問題に捕らわれた人間」の人生であって、ベッリは、ある瞬間に、あるデーモンによって占有されていた（のちに彼自身はこのように信じていた）、つまり、ゴヤに侵入し、バーンズに刺激を与えたデーモンと同じ者によって占有されていたと述べることができるであろう。このデーモンについて、ドラクロワは、彼の放浪時代に、ヨーロッパの古い都市の屋根の上を飛ぶ、その外観を描きとった（図25）。バーンズ、ゴヤ、ベッリ。彼らは、カルドゥッチの「サタン讃歌」（'Inno a Satana'）に、別の一節をつけくわえることができるであろう。

（一九五三年［伊藤博明］）

カプリ再訪

新しいスペクタクルのために常に目移りがするほど活気づいている大都市ではない、同じ場所を再訪すること、自然の風景が強烈すぎて、そこに住んでいる人びとを無意味な染みに化してしまう場所を再訪すること、永遠の相貌をもつ侘しい、しかし魅惑的な場所を再訪すること、それは愛惜と極度の無益さが入り混じった微妙な責め苦に自らをさらすことである。数年前、私は人びとがひしめく夏のカプリにいた。今、私はこの穏やかで天候の変わりやすい春に、荒涼とはしていないが、小広場をのぞけば人間がまばらで、孤独と放棄の印象を与える光景へと戻った。まことの僥倖、とひとまずは考えられるであろう。

しかし、このような場合、もしかつての滞在の記憶が完全には消されて――どうしてそのようなことが可能であろうか――いなければ、あなたと光景とのあいだに不断に介入する、一種の痛ましい蜃気楼が立ち現われるのが常であり、その蜃気楼は記憶によって惹き起こされ、すべては幻影にもかかわらず、暴君のごとくあなたを執拗に悩ます。現在の孤独の空間は、渦巻状の、換言すれば、抵抗しえない力をもっている。かつての日々の亡霊たちがそこに落下して、見よ、この劇場は青ざめた身振りと言葉で満ち、そして理解しえない文言がそこに反響している。

魅力ある舞台は、見いだされた時を放棄することが運命づけられていた――と言うべきであろう――ある会話の背景として役立つ。しかし、その会話は同じように場所を放棄することはなかった。すなわち、記憶の気紛れによって、場所は、邸宅のファサードの調和を乱すチョークと石炭で書かれた俗語の落書きのような、記憶の落書きと混淆される。こうして、無意味と思われた染みは、つまりこの偶然の死滅すべき被造物は、結局は、その痕跡を強烈な自然の背景の上に残した。それは、蠅によって、黄金で塗られたブロンズ製のシャンデリアに落とされた、黄金さえも腐蝕する、粘着性のある黒い点のようなものである。

おそらく、現象自体はこのように、きわめて単純なものである。われわれの魂は、結局、哲学者たちが考えているほど崇高なものではなく、それどころか柔弱であり、周りの情況を超えた高みに達することはできない。そして、ある気高い音楽を聴いているあいだ、もし研ぎ澄まされた耳がともなわなければ、無益などめどない思いがわれわれを満たすように、魅惑的な光景を前にして、精神を集中できないために、また空間恐怖のために、過去の破片や残存物にしがみつくことになる。もしこの至上の空間へ上昇することができるならば、われわれはビザンティンのモザイクがもつ恍惚感のなかに身を置くことになるであろう。

仲間たちのあいだに沈黙が降りるとき、われわれにつまらぬ言葉――どんなつまらぬ言葉であれ――を言わせるのは空間恐怖である。そして、われわれが同じ光景にでくわしたときに、われわれにつまらぬ言葉を想い起こさせるのも同じ空間恐怖である。「驚嘆すべき洞窟」（青の洞窟［図1］）のなかで、数年前の夏のこと、ある女性がこう言った。「ここはハネムーンの場所じゃないかしら。私はここに、このような時に二度きています。カップルがいると、船頭たちは気を利かして、後ろに下がりますね。ここに二人きりでいれば、何も起こらなかったといって、誰が信じるでしょうか」。

いまは、鍾乳石と石筍（せきじゅん）のあいだで、緑色、銀色、褐色の戯れを惹き起こす光という魅惑的なものによって、また、水によって石灰岩の上に刻まれた輪郭を浮かびあがらせる幻想的な光景によって、すべてが夢のなかに現われるような、折り曲げられた頭部、生を求めて髪を振り乱すバッカス信女（バッカンテ）にしがみつく両腕、洞窟の奥へ辛そうに歩むうつむいた人びとの背の上に、あの声の蝙蝠が飛んだ。「ここはハネムーンの場所じゃないかしら。私はここに二度きてい

図1――「青の洞窟」カプリ島

ます……」。

この美しく、そしてときおり我慢しがたい女性のイメージは、二回目の訪問のさいに、何度も私の前に戻ってきた。そして、背景が食堂(トラットリーア)の庭園だけの場合の辛抱の時間もまた。彼女の身振りが、彼女の優雅で申し分のない身振りが、くりかえし利用されて劣化した再生羊皮紙(パリンプセプト)のようで、私を苛つかせた。私は、鋲が打ちこまれ、木蔦が根を張っている、テラスのモルタルの壁を再び見た。そしてそこでは、かの女性が、烏賊（あのカプリの夏の永遠の烏賊である）の唐揚げに、フォークを使いながら、規則的で、きわめて適切なリズムで、檸檬の実を手で搾って、その果汁をふりかけていた。

この女性は、自分がすることができることを、すべて巧みにおこなっていた。馬に乗ることも、車を運転することも、肋骨を折らずにスキーを滑ることも、そのほかのこともすべて、正確にかつ優雅におこなうことができた。泳ぐときには、きわめて繊細に気どって腕を前方へと叩きつけていた。別の夕べのことであるが、テーブルの周りを、頭部が髑髏のようで、大きな多毛の蛾が飛び始めた。彼女は悲鳴（しかし控え目の抑制された悲鳴）をあげながら言った。「それを捕まえて」。このように彼女は、私がハンカチで為すべきことを告げた。そして私は蛾を叩きつけ、それはテラスの階段から暗くなった小さな踊り場へと転がっていったが、そこでは一匹の雌猫が子猫たちとともに残飯をあさっていた。あの婦人は、カプリの一日を、いつも優雅な踊(ダンシング)りで終えたいと望んでいたのであろう。われわれの共通の友人は、彼女は燕尾服の男性を夢見ているにちがいないと語っていた。

別の食堂で、J氏はわれわれに月の恐怖について語った。月が昇ろうとしているとき、彼は恐怖を感じるのであった。そして結局、月が天空にとどまっているあいだは、彼は眠ることができず、月が沈んでからようやくおちつくのであった。さらに別の食堂には、別のイメージが存在していた。M氏は突然、こう叫んでわれわれを驚かせた。「なぜこの女性は私の妻でなければならないのであろう。なぜ私はここにいるのであろうか」。彼が語ったところでは、彼は何度も非現実感に、つまり、いかにして、またどこに自分がいるのかを見いだして驚愕にとらわれたそうである。

そして私は、ほとんど空っぽのレストランのなかに、オデュッセウスの冒険が漫画風に、白壁の上に鋲でとめられた大きな紙に描かれた、大きな部屋のなかにたまたま居合わせた。いくつかの小部屋、バール、広間、庭園の配置から、私はこの場所をすでに知っているのではないかと自問した。そして、すぐに私は、夏の灼熱の夜に踊る人びとにあふれているのを見た部屋であることを理解した。その「ハワイ風の」(hawiana) 夜、青年も若者も花々の冠とピーマンの冠だけをつけており、その場所一体は、踏みつけられた葉と花、アルコール飲料、そして人体の臭いが満ちていた。花々の甘ったるく、吐き気を催わせる臭いが、あたかも葬儀のさいのように充満していた。

それは、「ブギウギ」と、レオノール・フィニがデザインした胸像型の瓶に詰められた「ショッキング」(Shocking) な香水 (図2) が大流行した時代であった。そのレストランの部屋の片隅に、イコンに描かれた修道僧の眼のように見開いた眼をもつ、ロシアの白い老画家がいた。彼の眼は夜のあいだにラスプーチンが殺害された、血に塗られた部

図2——香水の瓶　レオノール・フィニ (デザイン)　一九三六年

屋を見ていた。そしてそこの、庭園のテーブルでは、見事な裸の背中に、ハート型の青い石が吊り下がっていた。

幻影、無益な幻影、それをいかに祓い清めるべきであろうか。

こう述べたからといって、私は、私のカプリ再訪が、このような妄想によって損なわれたというつもりはない。ここでは、瑞々しい視角や新鮮な印象に欠くことはない。とりわけ、この春の比較的人の少ない時期に、洪水が引いたあとに頂上が出現するように、孤独の高みで、この場所の権威者たちが私の前に現われた。すなわち、カプリの戴冠された君主と戴冠されなかった君主、実質的な王と儀礼的な王、僭主と封建領主、偏倚者と芸術家という奇妙な定理のもとに、伝説で包みこまれたティベリウスから、そして伝説的なテルトゥスから、ニコラ・デ・リッテラの娘フィリペッラまで、そしてマリアネッラ公アントニオ・バリーレまで。このバリーレは二万七千ドゥカートでカプリを買ったが、そこに居着くことはできなかった。

続いては、カルトゥジオ会の豪腕な修道士たち。彼らはたいそう身勝手であり、一六五六年のペストのあいだ、自らの修道院のなかに閉じこもった。憤慨した市民たちは、城壁からそこへ、死体を、カタパルトを使って投げ入れた。それは、修道士たちにも同じ苦悩を味わせるためであった。より最近の権威者たちのなかでは、アクセル・ムンテ、かの唯美主義のカリオストロがアナカプリを支配し、ウォルター・ペイターの趣好に「遡る」、ギリシア彫刻の祖型と香る古代風の木製調度品が混淆したヴィッラを残した（図3・図4）。

またエドウィン・セリオは、カプリにきわめて大きな恩恵を惜しみなく与え、分散していた記録を辛抱強く再構成し、劇場を寄贈した。セリオは、その称号はなくとも、王がもつすべてを、おちついた威厳を、父祖の叡智を、そして、優美な姿の女性たちを惹きつける美しい宮廷をもっていた。おそらく彼は、人生の最期を、王国を娘たちに譲ったリア王として終わらせることができると考えていた。

最後に、一人のつかみどころのない王、悪童王、失地王［ジョン王の異名］ではあるが、この土地の真の発見者である偉大な黒幕、ノーマン・ダグラスがいる。あなたは彼について、キーツのオードの〈秋〉のように、葡萄畑の端に

図3———ヴィッラ・サン・ミケーレ外装　アナカプリ　カプリ島

図4———ヴィッラ・サン・ミケーレ内部　アナカプリ　カプリ島

横たわってはいなくとも、ときおり、食堂（トラットリーア）のテーブルで、白い髪を風に吹かれるままにして、赤ワインのフィアスコ瓶を前に、物憂げに、黙考しているのを見て驚くことができる。[☆1] そして、別の王というか、むしろ志願者は、カプリの先端に足を踏み入れることができたかぎりでは、マリアネッラ公よりも幸運であったものの、自らの帰属を確実にするために名前も変えたが、結局は、そこから遠いところで、孤立した岩礁の上の鼠捕りの罠（そのなかにはとても美味しいチーズがある）のように不安定なポンディシェリーにとどまった。

（一九五一年［伊藤博明］）

カターニャをめぐる変奏

沿岸に沿って続く、入江、小島、起伏に富んだ岩壁はわれわれを興奮させたが、メッシーナ海峡に入ると、突如、われわれはモーガン・フェイ〔アーサー王の妹でアヴェロンの島の女王〕の王国にいるように感じた。空気には匂いが混じっていたが、それは目の前の庭園からのものではなかった。われわれはジャスミンかベルガモットだと思っていたが、匂いを生じさせたのは、実際には「ザーガラ」〔柑橘類の花〕という魔術的名称をもつ花であった。私はそのとき、一七世紀のイギリスの一旅行者がイタリアについて述べた言葉を想い起こした。すなわち、イタリアは、自然の秘蔵っ子として、「オリーヴの森全体を、オレンジと檸檬の林全体を、浸みわたらせる」。

われわれのカターニャへの訪問は、この奇跡の地域に似合うもので、マブ女王〔イギリスの夢を支配する妖精〕の馬車のような不安定な馬車に乗って果たされた。ところが、混みいった路地のなかを、一九世紀のアルタリーア社の古いガイドブックの記述によれば、「きわめて精確に組まれた方形からなる溶岩」の舗石を通っていくと、急に激しい振動がして、馬車は一本の車輪を失って傾き、われわれは、その衝撃に興奮した馬によって、支離滅裂に引きずられる恐怖を感じた。われわれは、あちらこちらへとびはねた。ある人が、たしかに誇張された悲観主義におちいりながら、われわれに注意した。「旅行鞄に気をつけて」。そして、われわれが現実へと戻ったのは、世界のほかのホテルすべてと変わることもない、一ホテルに入ってからのことであった。

図1——パラッツォ・カラマニコ　ファサード　一七七五年〜八〇年　ナポリ

すでに夜となっていた。街路では、バルベリーア［モロッコ、アルジェリア、チュニジア地域］の手回しオルガン弾きが、小さな鐘の音をたえず鳴らしながら足早に通り過ぎていき、教会の鐘はあたかも大軍が押し寄せるように絶えまなく鋭い音を響かせ、人びとで一杯となった通りは、弓状に続く灯火の流れを分断しながら、われわれの視界が届かぬところまで延びていた。われわれの眼を釘づけにしたのは、きわめて高い扉口と、あたかも足の先で支えられ、両肩によってもちあげられたような、屋根に拮抗する平らな屋階をもつ、いくつものパラッツォの光景である。あたかもナポリのフェルディナンド・フーガが改築したパラッツォ・カラマニコ（図1）のファサードのような種類のファサードが、歪んだ鏡に無限に自らを反射させているかのようであった。

　そして、日中には、すべての窓がバルコニーをもつ一八世紀のパラッツォ群の長い通りの突きあたりから見える、雪に覆われたエトナ山の光景が、諸事物についての別の、しかも人為的な見方をほのめかした。しかし、ここでは人為的なものがかくも自然的なものに化していたのである。一八世紀の終わりと一九世紀の初めに刊行された庭園についての書物においては、平面図の上にさしいれる、とりはずしが可能な厚紙によって、庭園の改良案が模索されたように、もしあなたが、現状を再創出するような厚紙を立てるならば、あなたは自らの趣好の規則にしたがって好ましい場所を見ることであろう。こうしてわれわれは、束の間のあいだ、エトナ通りをアルプスの風景のなかに置いた。すると、突然われわれは、バルコニーが花で覆われ、交通が遮断されるのを見てとり、喧騒が鎮まるのを感じた。

しかし、カターニャはインスブルックではない。そして、そのバロックはドイツの諸地域のバロックよりも、いわばラテン・アメリカのバロックに近い。私はそのことを、ベネディクト派修道院の回廊のファサード（図2）を前にして感じた。その窓は、精巧であるが、しわくちゃで、建築上の構成要素というよりも海鼠や石珊瑚に似ているコーニスを具えており、それはパラッツォ・ビスカリ（図3）において私が感じたものである。

そこにおいては、クーポラ状の巨大な大広間のなかで、神話的なフレスコ画のあいだを、価値はあまりないが効果は大きい、あらゆる形態のストゥッコ装飾が飛び回っており、私は、上述したとりはずしが可能な厚紙の遊戯を心のなかでくりかえしていた。大広間は、かつては、悲しいスペクタルを提供していたが、いまだに、タイルの上に残されたブラックリストのなかでは、占領中にイギリス人によってそこに計画されたテニス・コートが目立っている。一方には、泥まみれの手で弾かれたかのように鍵盤が汚れた古いピアノが、他方には、湿気で損傷したフレスコ画が、さらに片隅に打ち捨てられた乳母車があり、それらは、窓から見える、港の侘しい建物と鉄道の陸橋と煙突の光景がシュルレアルな感覚を刺激する無秩序を証明している。

一枚のとりはずしが可能な厚紙が立てられ、そして、このイメージは別の、しかし静穏なイメージに席を譲った。広間はその全体に始源の輝きが現われていた。そこを、二人の婦人が相前後して通りすぎていった。ゲーテと呼ばれる一人の外国人は修道院長につきそわれて、この広間に入った。この外国人は一人の年老いた婦人に紹介された。彼

図2―――ベネディクト派サン・ニコロ・ラレーナ修道院　ファサード　カターニャ
図3―――パラッツォ・ビスカリ　大広間　カターニャ

女は亡き夫が収集した宝蔵品を、すなわち、貝、琥珀、象牙による作品を彼に見せた。シチリアの数多くのパラッツォにはいまでも、新古典様式の壊れかけた棚の上や、埃まみれの戸棚のなかに、ほとんど価値のない鉱物や古物の収集品の残骸が、破損して黄ばんだ蠟製の小彫像と混じって存在している。つまりは、ゲーテの時代に芸術と好奇を愛好する貴族階級のあいだで花開いた伝統の最後の色褪せた証拠がここに存在している。

現在では、かつては有名であったパラッツォの憂鬱な内部よりも、パラッツォ・マンガネッリ（図4）のウンベルト一世様式の塩気なさが好まれることになった。この忌まわしい様式は、その若々しさを十全に保っていたときには、ある種の魅力をもっていた。それは当時の女性的な、豪華に飾られた流行の様式であり、ヴェルサイユや、バイエルンのルートヴィヒ二世の住居をかすかに想い起こさせるものであった。一九世紀にはとても好まれた寄せ集め（パスティーシュ）の魅力をわれわれは、ベネディクト派の修道院の回廊（図5）の擬ゴシック風で、多色のタイルで輝き、房状の葉で覆われた建物に再発見したが、そこでは、無秩序で半熱帯風の庭園のただなかにいるように思われた。

棕櫚と南洋杉（それはこの海岸にしばしば見られる上方に向いた櫛のような枝をもつ南洋杉であろうか）、そしてベッリーニ公園の錆びた音楽堂は、一方で、「税関吏」ルソーのことを想い起こさせる。それはルソーのように芸術表現が乏しいが、ピクチャレスクではあるので、両者を対置し、比較しようとする戯れを避けることはできず、またそれは許されるであろう。由緒ある、繁栄した大学とサン・フランチェスコ・ボルジア聖堂に付属した中庭（図6）では、スペインについて考えさせられる。オズバート・シトウェルは、カターニャの建造物を前にして、メキシコのことを、それどころか、シャムのことを思いだしていた。最高の芸術作品を前にして、ノスタルジーも異国趣味もなしに、それについて思いをはせることができる唯一のものはパラッツォ・ストロッツィ（図7）とパラッツォ・ファルネーゼ（図8）であり、それらは精神の散漫を許しはしない。

しかし、ここカターニャにおいて、われわれは、四方からの風に由来する示唆にすべてに身を委ねる。すなわちここは、直線的な街路によってあらゆる方向へと開かれた都市である。そして、都市の中心となる唯一の孤立した街

図5――ベネディクト派修道院　東回廊　一八四一年　カターニャ
図6――サン・フランチェスコ・ボルジア聖堂　中庭　一六九七年　カターニャ

図4――パラッツォ・マンガネッリ　グロテスク装飾の三階エントランス・ホール　カターニャ

図7――パラッツォ・ストロッツィ　フィレンツェ

図8――パラッツォ・ファルネーゼ　ローマ

路をもっており、それが世界のもっとも美しい通りのひとつ、クロチーフェリ通りである（図9）。この通りは、一方の端は灰色の陸橋で遮られ、他方の端は王宮の庭園の入口で終わっている。そしてこの完全に閉じられた空間には、修道院と教会の二つの側廊と、二つの純白のバロック聖堂が、舞台の袖のように、ほぼはす向かいに並んでおり、また修道院の窓には膨らんだ格子がつけられている（図10）。さらに、教会の広大な身廊には、金色に塗られた横長の格子窓がつけられ（図11）、それはロココの軽快な物語劇に登場する洒落たバスケットのような趣きをたたえ、そしてまさに、その巨大な籠は、枢機卿の大きな帽子を戴いたサン・ベネデット聖堂の、金色に塗られたオルガン（図12）のように見える。

しかし、サン・ベネデット聖堂が、メッシーナ出身のジョヴァンニ・トゥッカーリによる派手な折衷的フレスコとロココ風の渦巻き模様を具えた、豪奢な空間をもっていようとも（図13）、その通りのつきあたりの庭園の樹木が官能的な平安をもたらそうとも、一日のある時間には、青い空が教会の純白なバロック風ファサードで安らぎ、ヴェネツィアのある光景を思わせようとも、クロチーフェリ通りはきわめて刺激的で、ほとんど熱狂的な特徴を具えている。この通りでは、エルザ・モランテが『嘘と占い』（*Menzogna e sortilegio*）で書いている、人々の面前で自らを罰する行為をおこなう高貴な婦人にめぐりあったとしても驚くことはないであろう。

ルネサンスの演劇において、定番の舞台背景は街路であった。クロチーフェリ通りは、いかなるロマンスの、いかなるドラマの舞台背景となることができるであろうか。別の舞台背景的な環境としては、サン・ニコロ聖堂の内部（図14）、光り輝く大きなシャンデリアを具えた巨大な白い大広間、新古典主義風のガラス製のモンゴルフィエ式気球が、デ・ロベルトの『副王』（*Viceré*）のいくつかの場面で背景となっていた。

然り、クロチーフェリ通りはとりわけ刺激的で、熱狂的である。しかしその空気のなかには「ザガーラ」の香りがあり、屋根の向こうには海が見え、海の上には、遠方の出来事を語る船が見える。そして、修道院において、もはや修道女たちがこのうえなく美味しい菓子を用意することがないとしても、しかしカターニャは、その繊細で深みのあ

図9――クロチーフェリ通り　カターニャ

図10――クロチーフェリ通り　ベネディクト派女子修道院（左）、サン・ベネデット聖堂（右）　カターニャ

図11――サン・フランチェスコ・ボルジア聖堂　カターニャ
図12――サン・ベネデット聖堂　カターニャ
図13――サン・ベネデット聖堂　カターニャ　一七一四年〜六三年
図14――サン・ニコロ・ラレーナ聖堂　一六八七年〜一七八〇年　カターニャ

るジェラートでいつも有名であり、祭の日には、爆竹と銃声の音が轟き、魚屋の店先には、大きな鰭をもつピンク色の怪獣「噛みつき魚（コッチュウ）」が積みあげられる。この魚には「天体観測者」あるいは「司祭魚」という名前も与えられており、中国の海で獲れるらしい。カターニヤでは、おそらくヴェネツィア以上に、西洋と東洋が出会っている。

（一九四九年［伊藤博明］）

シチリアの感覚

ファブリツィオ・クレリチは、貴重な嵌め木細工のような彼の絵画において、ゲーテの関心を惹かなかったパレルモの二つの様相を結びつけた。ゲーテはシチリアについて多くの事柄をただちに理解したのであり、たとえば、イタリアのイメージを魂が完全にとらえるためにはシチリアが必要であり、そこにすべての鍵が見いだされると考えた。しかし、ゲーテの眼はうかつにも、実にこの島の鍵を、少なくとも、たしかにパレルモの鍵を与える二つの様相について見逃した。すなわち、セルポッタのスタッコ［化粧漆喰］作品（図1）とカプチーノ派修道会のカタコンベ［地下墓室］の骸骨とミイラ（図2）である。そして、これらをファブリツィオ・クレリチは驚くべき対話のうちに組みあわせたのである。

ピアツェッタ、ティエポロ、そしてメタスタージオの一世代前に、セルポッタは弱々しい、メロドラマ的な優美さにおいて先んじていた。興味深いことに、彼の近くには、匂いについての論考を著わした、年上のロレンツォ・マガロッティが見いだされる。というのは、セルポッタの彫刻は、シチリアの庭園のように匂いを放つ彫刻だからである。彼の寓意的人物像の甘美な相貌から、無比の優美さを具える身振りから、真っ白な壁に沿って並ぶプットーたちの生成から、ジャスミンの匂いが漂っている。あるいは百合の匂いと言うべきかもしれない。というのは、百合のように、これらのきわめて甘美な人間的植物は金色の葯（やく）をもっており、セルポッタはリュート、ハープ、ヴィオラ・ダ・ガン

図1――サン・ロレンツォ祈禱堂　パレルモ
図2――カプチーノ派修道会カタコンベ　パレルモ

図4――ジャーコモ・セルポッタ
《穏和》一六九九年〜一七〇六年
パレルモ　サン・ロレンツォ祈禱堂

図3――ジャーコモ・セルポッタ
《慈愛》一六九九年〜一七〇六年
パレルモ　サン・ロレンツォ祈禱堂

バといった楽器を、また棕櫚を金色で塗ったからである。

さらに、これらの人物像の柔らかく曲がりくねる輪郭は、花々の優美さを模したものであり、それらの輝かしい微笑み、すなわち、サン・ロレンツォ祈禱堂の〈慈愛〉（図3）の穏やかな微笑みとサンタゴスティーノ聖堂の〈穏和〉（図4）の天上的な微笑みは、ひとたび見たならば、けっして忘れられないであろう。セルポッタによって装飾された祈禱堂の壁はジャスミンの背板であり、腰羽目となる硬石象眼細工（ピエトレ・ドゥーレ）がほどこされた腰掛けは、純白の天国を遮り、地上への移行をうながす濃い色の花々の生垣である。

セルポッタの祈禱堂で祈っていたのと同じ人びとは、カップチーノ派修道院のカタコンベに埋葬されることを願っていた。しかし、「埋葬される」とはどのようなことであろうか。私が思うに、このような種類の埋葬は晒し首のようなもので、明らかに内地［イタリア半島］では採用されえない観方である。この広大で、上方からしか明かりが届かない薄暗いギャラリーの効果は、最初は、奇矯な彫像と、埃にまみれた暗褐色の鍾乳石に見えるようなものが密集した壁のゆえに、ピラネージ風の効果をもたらす。次々と積み重ねられた死の箱からは、しばしば忘れ去られた流行の衣服で着飾ったミイラの驚かせるような相貌がかいま見え、硬直した暗褐色の骸骨の列は、〈死〉という古物商の暗い店に吊るされた古着のようである。しかし、これらの骸骨の一つひとつが相貌をもっており、時によって痩せ細り、黄ばんで、識別する徴は消えているとはいえ、どれひとつとして同じものはない。

それが、これらの頭蓋骨が恐怖を与える点である。あるものは激痛で歪んでおり、あるものは怒った猫の冷笑の表情を見せており、嘲笑するものも威嚇するものもあり、死の同じ匿名の仮面が二つとしてあるわけではない。どうして、これらの者は、絞首刑に処された犯罪者や、禿鷹と暴風雨が解体するまで鎖に繋がれた略奪者のように、名前が書かれた張り紙をつけられ、自ら「埋葬される」ことを決意したのであろうか。防腐処理された者たちの顔は骸骨の顔よりも恐ろしく、蠟製の、あるいは紙の張り子の仮面のように、首刈り族の不定形の戦利品のように、顔の乾いた軟塊のように見える。

「乙女たちは棕櫚と花冠をもっています」と、ここの管理人は、一日に何度言うことになるのかわからない言葉をくりかえしていた。「こちらはすべて市民と学者たちで、あちらが聖職者たちです」。彼はこの地下の墓地を長い習慣に則って、無表情なままに次へと移動していく。彼は一日に何度、レースと手袋をもったミイラの前を通り過ぎるのであろうか。そして、薔薇色の衣服と空色の頭巾を身につけた別のミイラ、壁に全身を寄りかけて脅かす恐怖の幽霊、頭にベレー帽をかぶったミイラの紳士、八〇歳の顔つきの者と一緒に立っている二人の幼児、首を切られたメドゥーサの蒼白な顔に、豊かな髭をたくわえたアメリカ領事、そして、ズンボによる蠟製のペスト患者の遺体のひとつのように見える水晶の小さな壺のなかの幼児。

ここで、私は一人のシチリア人、ズンボの名前を出して、フィレンツェのバルジェッロ［現在はラ・スペコラ美術館］で見ることができるペストの驚愕すべき光景（図5）について想い起こしているが、私は、セルポッタの祈禱堂の天国的な悦楽とカプチーノ派の戦慄させる地下墓地とのあいだに、あの天国の香気とこの地獄の息吹きとのあいだに、ある繋がりをかいま見ようとし始めている。一方の昇華された肉体的感覚と他方の腐敗した肉体的感覚は同一のものではないであろうか。その肉体的感覚は、スペインに固有の神秘主義と死の強迫観念の根底にあるものと同一である。一方で、調和ある裸体を誇示する妙齢の女性を、他方で、崩壊し、蛆虫が集った肉体の亡霊を表現している中世の象牙製の小彫像のように、シチリアは、前後の両面を向くヘルメス柱において、これら二つの側面を、つまりゲーテが気づかなかった根本的な側面を提示している。

海岸に沿った庭園と柑橘類の栽培地、アクアマリンのような空色に岬の連続、そして、ゲーテが見てとったように、すべてが青色の浴槽に浸されているように思える空気。そして、密集した植物の、溶解した緑の色彩。この緑は、たとえば、ヴィッラ・ヴァルグアルネーラのテラスから見ると、濃青色の海と青灰色の山々の上に、目が眩むような効果を与えて際立っている（図6）。この風景は、ひとつの神性の出現を待っているかのように見える。

しかし、より近い山々は、これらの風景においてすでに、不毛で、アフリカのような様相をもつ砂漠を告げ知らせ

図5——ジュリオ・ガエターノ・ズンボ
《ペストの光景》一六九一年〜九四年
フィレンツェ　ラ・スペコラ博物館
図6——ヴィッラ・ヴァルグアルネーラ　パレルモ
図7——パラッツィーナ・チネーゼ　パレルモ

図8――ヴィッラ・ジュリア［の庭園］　パレルモ

図9――エル・グレコ
《トレドの光景》一五九六年～一六〇〇年
ニューヨーク　メトロポリタン美術館

ている。ファヴォリータ公園のパラッツィーナ・チネーゼの上階から、私は山々のあいだに、唇のような調和する二つの峡谷を、スフェッラカヴァッロとモンデッロの方に見た（図7）。それはあたかも、この小パラッツォの眼下にあるイタリア風の庭園の対称的なリズムがその風景に伝わっているかのようであった。しかし左側では、ペッレグリーノ山の禿げた、黄褐色の山塊が迫っている。

海岸はパイアケスの王の庭園のことを思わせる。そして、ゲーテがヴィッラ・ジュリア（の庭園［図8］）の美しさにすっかり魅了され、「地上でも最も驚嘆すべき場所」と呼び、すぐにホメロスの一節と比較して、アルキノオス［パイアケアスの王］の庭園の歌を再読したのも驚くべきことではない。しかし、この島の内部は焼き焦がれ、荒涼とした大地が際立っており、町々は不毛な丘陵の頂に築かれ、家々は扇状地状に配置されている。町々は太陽によって石灰化されており、エル・グレコの描いた悲劇的な光景のトレド（図9）の双子なのである。

さらに別のコントラストがあり、それはやはり、〈生〉と〈死〉という同じ原初的なコントラストである。あの都市［パレルモ］において、マケーダ通り（図10）よりも生が激しく燃えあがっているところがあろうか。ニューオリンズのカナル通りは悠々たる川であるが、マケーダ通りは急流であり、近接した二つの岸のあいだの泡の群であり、いくつもの石のあいだを流れる水のように砕けちる。人間の群れ。パラティーナ礼拝堂（図11）、マルトラーナ聖堂（図12）、モンレアーレ聖堂（図13）のモザイクで覆われた壁の上の幻の群れ。バロック聖堂、すなわち、サンタ・カテリーナ聖堂（図14）、サン・ジュゼッペ聖堂（図15）、ジェズー・ディ・カーザ・プロフェッサ聖堂（図16）における、プットー、花綱装飾、花冠装飾の群れ。それらはストゥッコ装飾、絵画、硬石象眼細工（ピエトレ・ドゥーレ）、黄金の格子窓、螺旋状の円柱で満ちあふれ、グラナダの修道院の聖具室を想いおこさせる。セルポッタの純白の装飾における甘美な被造物、寓意画とプットーの群れ。ヴィッラ・パラゴーニアの囲い壁の上にある、深い黒色の影で覆われたオルカ［海獣］の色を帯びた怪物とグロテスクなものの群れ（図17）。

すなわち、火山性の自然は、聖堂の壁の上と公園の壁の上で、常に新しい存在を、常に新しい事物を、生の汲みつ

図10──マケーダ通り　パレルモ
図11──パラティーナ礼拝堂　パレルモ
図12──マルトラーナ聖堂　パレルモ
図13──モンレアーレ聖堂　パレルモ

図 14―――サンタ・カテリーナ聖堂　パレルモ

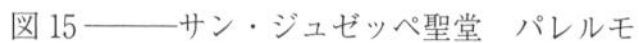

図 15―――サン・ジュゼッペ聖堂　パレルモ

図16――ヴィッラ・パラゴーニア　バゲーリア（パレルモ近郊）

図17――ジェズー・ディ・カーザ・プロフェッサ聖堂　パレルモ

図18——セジェスタ
図19——セリヌンテ
図20——「聖なる道」　フォロ・ロマーノ　ローマ

くせぬ豊穣(コルヌコピア)の角として奔出させることをやめることはないと言うべきであろう。こうして、それらの存在は、ほかならぬゼルベブブ［蝿の魔王］がこの豊穣の地上のいたるところで奔出させている蝿のように濃密である。しかし、別の場所は砂漠である。セジェスタでは、ツルボラン科の薔薇色の神殿は、砂漠の丘の光景に天から降ろされたように見える（図18）。その色は地衣類のものであり、唯一動くものは天空の二羽の禿鷹で、それをゲーテも見ていた。「風が、森のなかのように、神殿の円柱のあいだで囁いていた。そして、獰猛な鳥どもが耳障りな音をたてながら、建物の上空を飛んでいた」。セリヌンテでは、いくつも神殿が、あたかも別の演劇的な仕掛けのためかのように、それらの神々よりも強力な敵によって雷で打たれたかのように、同時の、しかも突然の倒壊によって崩れおちていた（図19）。こうして、アクロポリスの主要な道には、物言わぬ石のあいだに静寂が残った。そこでは砂という、砂漠の告知者が、あなたの歩みを弱める。〈宿命〉の感覚が、そして万物の不可避な〈移行〉の感覚があなたを、フォロ・ロマーノの聖なる道(ヴィア・サクラ)（図20）に佇む以上にとらえる。

　こうして、ゲーテが述べていたことをふたたびとりあげるならば、シチリアはイタリアの鍵である。この島に、ソネットの最後の三行詩(テルツィーナ)におけるように、イタリアの甘美で、厳粛で、陽気で、悲劇的な調子がすべて、対照法的なエピグラムの形式で要約され、集中しているのである。

（一九五四年［伊藤博明］）

エピローグ　夢想するマリオ・プラーツ

マリオ・プラーツ（一八九六年〜一九八二年）は、ローマ大学文学・哲学部で四〇年以上も英文学を講じ、『イングリッシュ・ミセラニー――歴史・文学・芸術の饗宴』誌を創刊した著名な英文学者であったが、それにもまして、傑出した文学・美術批評家として数多くのエッセイ／論考を生みだした「最後の人文主義者」（アゴスティーノ・ロンバルド）であった。彼の生涯と著作については、『綺想主義研究』（ありな書房）の「解題」および『マニエーラ・イタリアーナ――ルネサンス・二人の先駆者・マニエリスム』（ありな書房）の「エピローグ」をご覧いただきたい。

プラーツの文学・美術に関するエッセイ／論考の多くは、書評あるいは新著紹介という枠の下に執筆されてはいるが、実際には、当該の書物を導入として、プラーツ自身の見解が自由に展開されている。たとえば、一九六六年執筆の「ヒエロニムス・ボスの〈奇妙な相貌〉」（『マニエーラ・イタリアーナ』に所収）は、ボスをめぐってシャルル・ド・トルナイ（一五二七年）、ヴィルヘルム・フレンガー（一九四七年）、ヴェルトハイム＝アイメス（一九五七年）の研究を踏まえてはいるが、それらへの学問的な批判的検討というよりも、むしろボスの絵画をシュルレアリスムと対比させ、ボスのもつ幻想性の豊饒さを指摘するとともに、《快楽の園》のなかに異端的な精神性を見いだすという独自の議論を積み重ねている。

本訳書に収められた一二篇のエッセイもまた、このような執筆のスタイルを共有している。そればかりか、プラーツが論じる対象が都市や地方の光景、地誌、歴史、建造物、ヴィッラ、パラッツォ、アパルトマン、美術館、博物館、展覧会、レストランなど多様で多彩であることが原因なのであろうか、「連想の糸を紡ぎながら」(affidare al filo delle associazioni)——「ロマーニャ探訪」(本書一〇二ページ)——プラーツの想像力の翼は自由自在に羽ばたきつづけ、それは「夢想」という言葉をわれわれの脳裏に自然に思い浮かばせるほどである。それはしばしば読者の理解力の閾を超えるために、われわれは読書の快楽と当惑とのあいだに宙づりにされている感覚を味わうことになる。

したがって、各エッセイの内容を紹介したとしても、いたずらに単語を連ねた連想ゲームのようにしか映らないだろう。以下では、本書に収められた最初のエッセイである「白いパリ」(一九六三年)の冒頭部を例にとりながら、プラーツの「意識の流れ」と「プラーツ風(プラッツェスコ)」叙述の歩みについて、つとめて分析的にたどってみよう。

「白いパリ」は、「驚くべきことに、古いパリは、常に新しいニューヨーク以上に、わたしに多くを与えてくれた」という章句から始まる。もとよりプラーツのニューヨークへの態度は冷たく、「ロマーニャ探訪」では、この都市ではすべて「スクラップする」ことがスローガンとなっており、それが理に適っているのも、そこには保存すべき芸術的建造物がないからだ、と断言している(本書九五ページ)。「白いパリ」では、この「新しい摩天楼の数々と複合体」は、作図された幾何学のなかに収まっている、実施に移された設計図のようなものだと断定されている(本書一一ページ)。

それに対して、「パリがまるで蛇のように脱皮し変身するのを観ることは、キプロスの領主となったフランスのリュジニャン家の始祖であると伝えられる、あのメリュジーヌの脱皮のように想像される」。メリュジーヌはフランス中世の物語に登場する水の妖精で、上半身は女性の姿であるが、下半身は龍であり、背中には大きな羽根を生やしていると伝えられている。クードレッドが一五世紀初頭にフランス語で著わした『メリュジーヌ物語、あるいはリュジニャン一族の物語』によって一般に膾炙することになった。

プラーツはいったん、メリュジーヌの脱皮のイメージを、「わたし[プラーツ]がかつて訳した」、ロマン派の詩人サミュエル・コールリッジの『クリスタベル』の詩句と接合させる。「[ジェラルディンは]そして息を強く吸い込ん

書斎のマリオ・プラーツ（1960年代）

だ／まるで身を震わせるかのように。そしてスカートの／帯を胸の下で解いた。／絹のスカートとコルセットは／足元に落ち、すべてをあらわにした。／見よ、見よ、彼女の胸を、そして脇腹を……／嗚呼、これぞ夢の眺め、決して口にしてはならぬ」（プラーツがコールリッジをイタリア語に訳したのは一九二五年に遡る）。

そしてプラーツは、この衣服を脱ぎさるジェラルディンを「パリの変身」と同一化する。続いてプラーツは、パリに存在している建造物を、ジェラルディンを介してメリュジーヌに重ねあわせていく。すなわち、パレ・ロワイヤルのメリュジーヌは片腕を露わし、白く輝く肩をむきだしにし、ルーヴル宮殿のファサードのそれは、ディアナの四肢のような長い腿を見せ、フランス学士院のそれは、わずかに琥珀を帯びた完璧なアーモンドであり、さらに学士院と造幣局のあいだにある一八世紀の家屋群もクリーム色をとりもどしている。

わずか二ページ足らずのあいだに、以上のイメージの連鎖がプラーツの脳内でおこっており、彼の万年筆（あるいはタイプライター）は、その動きどおりに書きとって（あるいはタイピングして）いたのであろう。そして、この「夢想」とも言うべき連鎖が、エッセイを締めくくる、再度のアメリカ文化に対する皮肉の表明まで蛇状曲線（リネア・セルペンティナータ）状に延々と続いていく。プラーツが死去して四〇年あまりがたつが、「プラーツ風（プラッツェスコ）」とは彼の文体にだけ冠される言葉であり、現在でもプラーツは、唯一無比の驚異（メラヴィリア）としてわれわれの前に存在している。

本書に収められた論考の初出および再録は以下のとおりである。

「白いパリ」（“Parigi bianca,” *Il Tempo*, 13 ottobre 1963; in Mario Praz, *I volti del tempo*, Napoli: Edizioni Scientifiche Italiane, 1964; in Mario

Praz, *Il mondo che ho visto*, Milano: Adelphi, 1982.）

「パリの二つの相貌」（"Due volti di Parigi," *Il Tempo*, 29 novembre 1967; in *I volti del tempo*; in *Il mondo che ho visto*.）

「一九世紀の傑作としてのパリ」（"La Parigi di oggi è sempre il capolavoro dell'Ottocento," in Mario Praz, *Viaggi in occidente*, Firenze: Sansoni: "Parigi"; in *Il mondo che ho visto*.）

「ルーブル美術館のイタリア絵画」（"Quadri italiani al Louvre," *Il Tempo*, *La Stampa*, 5 gennaio 1951; in *Viaggi in occidente*.）

「パリの展覧会」（"Secoli di gloria e d'eleganza allineati nelle mostre parigine," *Il Tempo*, 1° aprile 1951; *La Stampa*, 1° Aprile 1951: "Mostre parigine"; in *Viaggi in occidente*.）

「ロマーニャ探訪」（"In giro per la Romagna," *Il Tempo*, 10 ottobre 1951; *La Stampa*, 20 Ottobre 1951: "L'Italia scomparsa"; *La Nazione*, 20 ottobre 1951; in *Viaggi in occidente*.）

「ヴェネツィアの匂い」（"Odore di Venezia," *La Stampa*, 9 giugno 1950; in *Viaggi in occidente*.）

「エミーリアの一〇月」（"Ottobre in Emilia," *Il Tempo*, 17 ottobre 1947: in *Viaggi in occidente*.）

「ローマの香り」（"Sapore di Roma," *Il Tempo*, 27 febbraio 1953; *La Stampa*, 26 febbraio 1953: "Sapori romani"; in *Viaggi in occidente*.）

「カプリ再訪」（"A primavera Capri è popolata di fantasmi," *Il Tempo*, 24 aprile 1951; in *Viaggi in occidente*.）

「カターニャをめぐる変奏」（"Oriente e Occidente s'incontrano a Catania," *La Nazione*, 20 maggio 1949; *Il Tempo*, 21 maggio 1949; in *Viaggi in occidente*: "Variazioni su Catania".）

「シチリアの感覚」（"Senso di Sicilia," *Il Tempo*, 10 ottobre 1954; *La Stampa*, 9 ottobre 1954; in *Viaggi in occidente*.）

この書が読者の想像／創造力にあらたな視界を拓くことを祈りつつ。

二〇二三年五月　訳書を代表して　伊藤博明　識

註

ルーヴル美術館のイタリア絵画

☆1——John Pope-Hennessy, *The Complete Works of Paolo Uccello*, London, Phaidon Press, 1950.

パリの展覧会

☆1——アルノルフィーニの肖像とされる作品は、近年、画家の自画像の可能性も指摘されている。

ロマーニャ探訪

☆1——*Paragone*, 7 (luglio 1950); 9 (settembre 1959). 以下も見よ。Giuseppe Raimondi, "Felice Giani, o del romanticismo," in *Paragone*, 11 (novembre 1959); Italo Faldi, "Opere romane di Felice Giani," in *Bolletino d'Arte*, Ministero Pubblica Istruzione, luglio-settembre 1952.

☆2——グイド・ゴネッラ。

ヴェネツィアの匂い

☆1——Peter Quennell, *Byron, a Self-Portrait, Letters and Diaries*, London, Murray, 1950.

カプリ再訪

☆1——残念なことに、「驚くことができた」。ノーマン・ダグラスは一九五二年二月にカプリで逝去した。

人名・作品名　索引

碩学の旅 I

パリの二つの相貌

——建築と美術と文学と

二〇二三年五月二〇日　発行

著　者——マリオ・プラーツ

訳　者——伊藤博明（専修大学文学部教授／イタリア思想史）
金山弘昌（慶應義塾大学文学部教授／イタリア美術史）
新保淳乃（武蔵大学人文学部講師／イタリア美術史）

監　修——伊藤博明（専修大学文学部教授／イタリア思想史）

企画構成——石井　朗（表象芸術論）

装　幀——中本　光（エディトリアル・デザイン）

発行者——松村　豊
発行所——株式会社　ありな書房
東京都文京区本郷一—五—一五
電話　〇三（三八一五）四六〇四

印刷／製本——株式会社　厚徳社

ISBN978-4-7566-2385-0 C0070

シリーズ　マリオ・プラーツ〈官能の庭〉Ⅰ～Ⅳ　監修　伊藤博明

官能の庭Ⅰ
マニエーラ・イタリアーナ――ルネサンス・二人の先駆者・マニエリスム　定価　二四〇〇円＋税

官能の庭Ⅱ
ピクタ・ポエシス――ペトラルカからエンブレムへ　定価　三〇〇〇円＋税

官能の庭Ⅲ
ベルニーニの天啓――一七世紀の芸術　定価　二八〇〇円＋税

官能の庭Ⅳ
官能の庭――バロックの宇宙　定価　二四〇〇円＋税

シリーズ　マリオ・プラーツ〈碩学の旅〉Ⅰ～Ⅵ　監修　伊藤博明

碩学の旅Ⅰ
パリの二つの相貌――建築と美術と文学と　予価　二四〇〇円＋税

碩学の旅Ⅱ
オリエントへの旅（仮）――建築と美術と文学と　予価　未定

碩学の旅Ⅲ
ギリシアへの序曲（仮）――建築と美術と文学と　予価　未定

碩学の旅Ⅳ
古都ウィーンの黄昏（仮）――建築と美術と文学と　予価　未定